JN123402

日本の魂《こころ》

——加戸守行遺稿撰——

加戸 守行

はじめに ……2

第１章　惻隠の心を信条として
1　他人の痛みを理解し、思いやる心をまっすぐに育ててほしい ……16
2　ムゥシケーで惻隠の心を ——感性の根幹をなすもの ……23
3　教育改革への期待 ——修身、道徳、そして心の教育 ……29
4　童話・童謡・童心への回帰 ……40
5　わが精神の拠り所として ——わが内なる坂村真民 ……44

第２章　国、地域の発展に身を尽くして
第１節　教科書改善・憲法改正に向けて
1　高校生に誇りある教科書を ……50
2　「近隣諸国条項」削除より検定を機能させよ ……63
3　憲法改正の志を語る ……74
第２節　「国旗・国歌問題」「加計学園問題」
1　「日の丸・君が代」について ……90
2　加計問題の「無実」全て語る
——獣医学部は愛媛県の悲願だった ……100
第３節　皇室敬慕の心
1　天皇陛下奉迎活動に見た愛媛のまごころ ……114
2　素晴らしい令和の御代に ……116
第４節　愛媛の県政改革に取り組んで
1　愛と心のネットワーク ……120
2　共に創ろう　誇れる愛媛 ……125

発刊に寄せて　　櫻井よしこ ……134

明成社

はじめに

皆様、今日は。

私、加戸守行は、昭和九年九月十八日に旧関東州（現中国遼寧省）大連市に生を受け、新京市（現長春市）、撫順市、鞍山市を経て、十八年四月に本籍地愛媛県八幡浜市に帰国して飛行機王二宮忠八の生家に居住し、十九年一月の九歳時に父茂好を亡くしてからは自営業の母佐代子に育てられ、松蔭国民学校、愛宕中学校、八幡浜高等学校、東京大学法学部を卒業後、昭和三十二年四月に旧文部省（現文部科学省）に入省しました。

文部省では、大学局技術教育課に配属され、着任早々待ってましたとばかり、新人の私に高等専門学校創設法案（学校教育法一部改正案）の起草を命ぜられました。今にして思えば、課長補佐が農業専門学校出身、係長が工業専門学校出身、上席係員が商業学校出身で専門外の方だったからです。内閣法制局の法案審査では、ペイペイの新人職員が課長級の林信一参事官（後に国税不服審判所長）と差し向いで法案を確定する作業に従事する幸運に恵まれました。

昭和三十五年七月に配属された初等中等教育局地方課では、当時の日教組運動の一つ、宿日直拒否闘争などの教職員の勤務時間の問題を解決すべく理論構成に取り組むとともに、全国一斉学力調査の法的根拠の理論武装を基に各県教育委員会への指導に努めました。

昭和三十九年四月、徳島県教育委員会に出向して管理課長に就任し、「仕事上の責任は上司が取る」という役人学を当時の仁科義之教育長から学びました。徳島での二年間が私たち夫婦の新婚生活の地であります。

昭和四十一年四月、文部省著作権課課長補佐として呼び戻されて、明治三十二年制定の旧著作権法を全面的に改正する新著作権法案の起草を佐野文一郎著作権課長（後に文化庁長官・文部事務次官）から命ぜられ、原案一四三条の起草から内閣法制局審査を経て昭和四十三年法案一二四条の閣議決定に至るまでの世紀の作業に従事しました。お陰で「現行著作権法の著作者」と呼ばれることを、面映く感じながら生涯の誇りと思っております。著書『著作権法逐条講義』は、加戸守行が生きてきた証しであります。

著作権課長時代の著者（写真左）

昭和四十三年七月、再度の地方課勤務では、課長補佐としてＩＬＯ八十七号条約批准に伴う国内法整備と教職員団体の取扱いに関する指導を担当しました。

昭和四十五年七月、著作権課長に昇任し、新著作権法施行に伴う同法施行令・同法施行規則を制定するとともに、著作権に関する諸条約の改正・制定・準備等の国際会議に日本代表として四年間に二十数回参加して国際法制整備に貢献しましたが、拙い英会話力のせいで立ち往生したこともあります。我が国の新著作権法の英訳文を一九七一年の国際会議で配布したところ、各国代表からその内容について絶賛を浴びたことを忘れられません。韓国や中国の著作権法が日本の著作権法を踏襲したものであることは、知る人ぞ知る事実です。

昭和四十九年六月、学校給食課長に就任して「リジン騒動」に直面しました。学校給食パン用の小麦粉の中に不足がちな必須アミノ酸のリジンを添加する全国規格の制定が三・四ベンツピレンなる発ガン物質が〇・〇四 ppb 検出されたということに始まる反対運動で中止に追い込まれた騒動で、仕事上の挫折を経験しております。しかし、在任中の最大の仕事は昭和五十一年度からの米飯給食の導入でありました。食糧庁との激しいやりとりの結果、当時の農林族の実力者、渡辺美智雄議員（後に大蔵大臣）のお力を借り、学校給食用米穀の政府売り渡し価格の大幅値引きによって週二回の米飯給食の実施の道を開いたことは、後世に残る施策でありました。

昭和五十一年十一月、三度目の勤務となる地方課で課長職に就任し、教職員人材確保法（昭和四十九年法）に基づく給与改善の一環としての主任手当支給のための主任制実施に向けて、全国の都道府県教育委員会への強力な指導に取り組みました。また、歴代地方課長としては初めて日教組本部を表敬訪問し、対話と協調の道を開こうと努力しました。田中角栄総理の時に各県一名から一挙に全国五千人に増員された教員海外派遣事業を担当し、四週間の長期派遣団については、始めの一週間をソ連等の東欧共産圏諸国に、引き続く次の三週間を英米独仏等の自由主義圏諸国に派遣して、体制の違いを肌で感じてもらうようにしました。

昭和五十四年六月、体育課長に就任し、柳川覚治体育局長とのコンビで野外活動奨励に取り組み、局長の命でテーマ曲「子供は風の子 太陽の子」を作詞し、当時中校二年の長女秀美に作曲させて、全国に広めました。

昭和五十六年六月、報道を担当する官房総務課長に就任し、翌年第一次教科書検定騒動に巡り合い、マスコミの誤報をベースにした中国・韓国の抗議に屈服した宮澤喜一官房長官談話で涙を呑みました。この談話に基づき教科書検定基準に近隣諸国条項が設けられ、あたかも中国・韓国の検定を受けるかのごとき実態となったことは、誠に残念なことでありました。

昭和五十八年六月、文化庁に転出して文化部長に就任し、十月には文化庁次長に昇任しましたが、早々に貸しレコード問題への対応を迫られ、貸しレコード暫定措置法の制定とそれに引き続く著作権法改正による貸与権の創設に踏み切りました。ほぼ時を同じくして、プログラム権戦争と二国騒動とが勃発します。

前者は、コンピュータプログラムの権利を著作権法で保護するのか工業所有権的発想の特別立法で保護するのかという、文化庁と通商産業省との間の争いで、政府部内と自民党内の双方での二年間に及ぶ激論対立の結果、著作権法による保護で法整備をすることとなったものでありますが、その間の主導的役割を果たすべく、国際的潮流に沿って最後の仕切りをしていただいたのは、当時の自民党政調会長代理の三塚博議員（後に大蔵大臣）でありました。それまでの間に激論が闘わされた自民党情報基盤整備小委員会の席において商工族のある議員から「著作権法の中にプログラム保護の章を設けてその部分を通産省に所管させろ」という発言があったので、私が「只今の発言が通産省からありましたら『ツラを洗って出直して来い』と申し上げたいところでありますが、ここは自由な発言の許される自民党の場でございますので、黙って拝聴しておきます」と述べましたら、「そうだ、そうだ、通産省は一升瓶ぶら下げて文化庁に行き仕切り直しをしろ」との野次が飛び、満場の爆笑を買ったエピソードは語り継がれております。この問題は、当時の三塚博自民党政調会長代理（後の大蔵大臣）の大岡裁きにより、半導体回路配置権を通産省所管の立法措置で対応することとのセットで著作権法改正で決着いたしました。

後者は、工業試験場跡地に予定されていた第二国立劇場構想について、建設予定地は交通の便が悪いので皇居前広場や日比谷公園に変更すべきである、一六〇〇人の収容人員は少なすぎるので二千人以上の規模に拡大すべきである、設計は国際コンペによるべきである等々のクレームを、三人の大作曲家や建築家協会の新会長などから付けられた事件でした。紆余曲折を経て、国道から劇場への進入路の確保、収用人員一八〇〇人への増、国際コンペの採用で事態を収拾いたしました。それよりなにより、劇場用地に工業試験場跡地を承認していただいた国有財産審議会の担当委員会の委員長であられた建築学会の大御所高山英華先生が工学院大学の理事長として自分の大学で進めている話だがとして、同じように近隣の土地の共同開発という特定街区構想によって容積率が増加する第二国立劇場の未使用容積を隣のオペラシティビルに空中権として売り渡し運営資金を調達するのはどうだという秘策を授けていただいたのは、思いもよらぬ天恵で、早速高山先生のお弟子さんである大村虔一先生（後の東北大学教授）が中心の都市計画設計研究所に委託して具体的検討に入り、後日、その特定街区構想による空中権の活用によって国費を一円も投入しないで新国立劇場の建設に至りました。その意味で、故高山先生から七五〇億円のポケットマネーを頂戴したようなもので感謝の念に耐えない次第であります。

昭和六十年四月に文化庁長官に就任した作家の三浦朱門さんが提唱された国民文化祭を、年末の予算要求・予算計上・翌年第一回開催という速戦即決で仕上げられたことは楽しい思い出で残っています。なお、プログラムの著作権の法整備に引き続いて取り組んだインターネット時代の到来を想定した公衆送信権の創設は、十年後の国際著作権条約の先導役を果たし、後年世界各国が追随しております。

昭和六十一年六月に体育局長に就任してから七十五日で九月に教育助成局長に就任し、人の噂も七十五日と冗談を言っておりましたが、教育助成局長としては、なんと言っても平年度化所要経費（国庫負担金・地方交付税）七百億円に上る教員の一年間の初任者研修制度の創設でありまして、予算面・国会対策面で強い思いの残る仕事でございました。その際、大学の寮で同室だった一年先輩の古村澄一官房長の力強いバックアップには終生感謝しております。当時の公明党市川雄一国対委員長及び民社党中野寛成国体副委員長から「消費税は社公民、初任研は自公民」という合言葉で全面的に御支援いただいたことは、忘れられません。なお、この時に導入した教員の十日間の洋上研修では、北回りの船は北方領土を展望する根室沖、南回りの船は「ひめゆりの塔」のある摩文仁の丘のコースを通るようにいたしました。

昭和六十三年六月に大臣官房長に就任いたしましたが、翌年、新国立劇場創設のための法整備を嵐の消費税国会の中を潜り抜けながら自公民協力体制で通過させた後、高石前事務次官のリクルート株取得問題に関連して、地に落ちた文部省の信頼を回復すべく、西岡武夫文部大臣の勧奨により、古村先輩とともに退官いたしました。この身の処し方を、人生の最大の誇りに思っております。

平成元年七月に公立学校共済組合理事長に就任しました。在任中の思い出としましては、旧知の田中一郎元日教組委員長と相談して、それまで対立抗争を続けてきた文部省と日教組との間で、手を結べる教職員の福利厚生をとっかかりにして協調融和の糸口としたいとの考えを基に、国分正明文部事務次官と横山英一日教組委員長の了解を得て教職員生涯福祉財団の設立に踏み切ったことであります。平成四年六月、史上初めて、共産党系の全教系列の団体を除く教育関係諸団体が教職員生涯生活設計の名の下に結集いたしました。

ちょっとした自慢話になりますが、平成二年に創設された芸術文化振興基金及び平成三年に創設されたスポーツ振興基金の民間募金枠の約半額は、公立学校共済組合の資金運用で取引のある銀行・信託銀行・生命保険・損害保険・証券会社等の各社に割り当て要請して協力いただいたものであります。

平成四年七月に日本芸術文化振興会理事長に就任いたしました。皮肉な事に、前任地で助っ人をした芸術文化振興基金を所管する団体であります。就任後間もなく新国立劇場着工の当事者として鍬入れをし、感無量でありました。

平成七年十一月、強い要請により当時古賀ビル問題で内紛状態にあったＪＡＳＲＡＣ（日本音楽著作権協会）の理事長に迎えられ、火中の栗を拾うように、半年間に及ぶ連日の街宣車による攻撃や永六輔・野坂昭如・小林亜星三人組からの週刊誌・テレビ番組でのパロディ風の中傷攻撃を受けながら、裁判所の和解により事態を収拾しました。その後、通信カラオケ等の使用範囲拡大に対応し、インターネット時代への規定整備を進めました。

ところが、平成十年、愛媛県知事選挙の話が持ち込まれて断っておりましたら、故郷の兄弘二（前加戸病院長）から「守行が育ててもらった愛媛県が困っているのを見捨てるのは守行の信条『惻隠の心』に反するのではないか」との説得を受け、遠藤実会長や船村徹理事を筆頭とするＪＡＳＲＡＣ理事全員の反対を押し切って「明るく爽やかで活力ある愛媛」を目指して出馬を決意し、平成十一年一月三日に現職知事を破って当選し、同月二十八日に愛媛県知事に就任しました。

愛媛県政では「開かれた県政」を目指し、十二年後の平成二十二年十二月に後任の中村時広知事にバトンタッチするまで多くの施策に取り組みましたが、大きな柱としては、

一、森林蘇生元年と銘打って大規模な間伐事業に取り組むとともに、間伐材を活用した公共建築物の木造化を推進し、在任中の県内木造可能な公共建築物の九十七％を木造としました。これが呼び水となって、後年、国において公共建築物等木造利用推進法（平成二十二年法）が制定されました。県武道館は木造武道館として世界最大のもので、機能的にも東京の武道館に匹敵するものであります。えひめ国体の折来館された天皇陛下からはお誉めのお言葉を頂戴し、面目を施しました。

二、当時の西田自治大臣の要請を受け、平成の市町村合併を推進し、就任時七十あった市町村を二十の市町に合併する旗振りをいたしました。

三、財政再建のため、就任時の県庁職員四六四一人を退任時に三八九四人と十六％削減するとと

もに、県庁出先機関等の統廃合を進めました。

四、着任と同時に、高度情報化のため情報スーパーハイウェイとして光ファイバー網の整備を進めました。

五、介護保険制度のスタートに合わせ、「愛と心のネットワーク」のテーマでボランティアを中心とする県民相互助け合い運動を展開し、その一環として東レ健康保険組合からの社員保養施設の実質無償譲渡により在宅介護研修センターを開設いたしました。

六、スポーツ立県を目指して、大亀孝裕県体協会長の御尽力で愛媛国体を誘致しましたが、中村時広知事の手によって見事に花を開かせていただいたことを嬉しく思います。また、他県に例のないサッカーの愛媛FCと野球の愛媛マンダリンパイレーツの県民球団化と両者への県出資に踏み切りました。

七、既存の施設の学校施設への転用に当たっての階段の蹴上げ二十cm以下の制限、学校給食用みかんの五回水洗い、獣医学部の新設制限等々の数々の岩盤規制に果敢に挑戦しました。また、病気腎移植を巡っての宇和島私立病院の保健医療機関指定取り消し問題には徹底抗戦し、所管する社会保険庁解体によって有耶無耶《うやむや》にさせております。

このほか、平成十三年二月に衝突沈没した「えひめ丸」の痛ましい事故に際しては、時の森喜朗総理の力強いバックアップもあり、ブレア太平洋軍総司令官及びファーゴ太平洋艦隊司令長官と英語で直接交渉して引揚げ・遺体収容に漕ぎ着けた懐かしい想い出があります。

平成十三年に登場した新しい中学校の歴史教科書（悲惨なシベリア抑留・ユダヤ人へのビザ発給・

エルトゥルル号遭難救助等々の史実を掲載）が全国に先駆けて愛媛県立学校で採択され、現在県内公立中学校の過半数の生徒が育鵬社の教科書で学んでいることをこよなき誇りとしております。

また、全国知事会では地方消費税特別委員会の委員長として社会保障経費増大に対応する地方消費税アップの提言を平成二十一年に取りまとめ、自民党・民主党両党に強く働きかけ、それが平成二十四年の谷垣禎一・野田佳彦両党総裁の合意に繋がり、消費税をアップする結果となったことに、いささかの満足感を覚えております。

三期十二年の知事生活を終えてから二年後の平成二十五年一月、安倍総理から直接、教育再生実行会議の有識者に委嘱されました。第一回会議のいじめ対策の議論で「道徳の教科化」を主張して提言に盛り込まれ、平成三十年から小学校、三十一年から中学校で「道徳」が特別の教科として実施に移された事に限りない喜びを覚えております。

皇室関係では、昭和天皇の大喪の礼・殯宮《ひんきゅう》祗候《しこう》、先の天皇陛下の即位の礼・大嘗宮の儀等々への参列を許され、新年祝賀の儀、天皇誕生日祝賀の儀、歌会始、園遊会等々への参列の栄に浴し、旭日重光章まで受章いたしました。ありがたいことです。

知事退任後は、なるべく人の迷惑にならないようにしておりましたが、平成二十七年五月にミュージカル「オーロラに駆ける侍」のアラスカ公演では団長として最後の働きをさせていただきました。夫婦でそれぞれ二役（うち一役は英語のセリフ）ずつを与えていただいた座長戒田節子様のご恩に報いる意味もございました。また、平成二十八年十一月には、愛媛県民文化会館三十周年を記念してのベートーベンの第九の合唱団に夫婦で参加する喜びを味わっております。

愛媛囲碁フェスティバルで解説聞き役を務める（平成 22 年）

趣味のカラオケで「俵星玄蕃」を熱唱

余談ながら、趣味としてのカラオケでは、八分半の長編浪曲歌謡「俵星玄蕃」を衣装道具付きで唄い演じたり、新国劇「国定忠治」のセリフのアンコ入りで「名月赤城山」を唄ったり、時事替え歌と称して「からたち日記」を「ホリエモン日記」に捻って唄ったりすることを楽しみとしておりました。同じく趣味の囲碁では、文部省囲碁部の副将として、中央官庁囲碁大会での数次にわたる優勝を初め、社会人囲碁選手権、ジャンボ囲碁大会等々の団体戦に貢献できたことをささやかな誇りにしております。また、毎年の愛媛囲碁フェスティバルで林海峰名誉天元の対局解説の聞き手を務めさせていただいたことは、楽しい思い出です。

振り返ってみますと、加戸流の生き方を許していただき、こんなに多くのことを人生でさせていただいたのは、すべて御参会の皆様のお陰でありまして、喜びを一杯に噛み締めているところであります。

新宿御苑で孫と遊ぶ（平成 18 年）

ギリシアの詩人エウリピデスが「人間の持つ最大の財産は、共感してくれる配偶者である」と述べております。惚気になりますが、私の人生にとって妻道子との出会いは神様の格別の御配慮によるものでありまして、私の全てを温かく包み込んでくれた彼女無しでは、私の人生はありえませんでした。そして三人の娘と八人の孫に恵まれた幸せな一生でした。残りました道子をどうかよろしくお願いいたします。道子が来るまで、

道子夫人とともに総理公邸に招かれる（令和元年12月）

私は二十六歳の時に別れた母に自慢話をしながら親不孝の償いをしております。

本当に本当に長い間色々とありがとうございました。

そして長い長い自慢話をお読みいただき感謝します。

それでは、何十年か先での再会の時までさようなら。

「追記」

以上で終わりのはずでしたが、平成二十九年から三十年にかけて今治での獣医学部新設にかかる加計問題が国会での議論となり、安倍総理の濡れ衣を晴らすために五度に及ぶ衆参両院における参考人質疑に登場するという番外編は、後期高齢者の気力を呼び戻すのに大いに役立ちました。

（「加戸守行を偲ぶ会での配布資料」平成二十九年三月六日に著者自ら作成、令和元年五月四日改訂）

第1章　惻隠の心を信条として

1　他人の痛みを理解し、思いやる心をまっすぐに育ててほしい

平成十四年十月　田部井教育振興会「二十一世紀の教育を考える一二三人」

早すぎた父の死

私が育ったのは地元愛媛県なのですが、生まれたのは中国の大連というところなんです。父が満州鉄道の子会社の運送会社に勤めていた関係で、八歳までそこで育ちました。しかし、その父が肺結核を患い、退職したのにともなって昭和十八年に帰国。しかし、その一年後、父は亡くなってしまいました。

だから父の思い出は、あまり多くはないんです。いちばんよく覚えているのは、よく一緒に相撲の雑誌を見ていたことくらい。「高島部屋の三羽烏」と呼ばれる、横綱吉葉山、大関になった三根山、そして輝昇の三力士のことなんかは今でも覚えています。でも、あまりにあっけなく亡くなってしまったので、幼かった私には死の実感さえわきませんでした。もう少し生き永らえることができれば、結核も治療できたのにと思うと残念でなりません。

一方、母親はというと、帰国後、身をよせた愛媛県八幡浜市の実家で、家業の旅館を切り盛りするのに大忙し。女手ひとつで奮闘していましたから、あまり子どもにかまっている時間はなかっ

たと思います。でも、そんな中でひとつだけ、強烈な思い出があるんです。

母の涙と痛みが教えてくれたこと

当時は戦時中で、物資も食料も不足していました。我慢に我慢を強いられた毎日でした。そんなある日のこと、母親がタンスのいちばん上のひき出しから小銭を出し入れするのを見て、買い喰いのために、私はその小銭をこっそり手に入れるという悪事を思いついたのです。といっても、まだ小さくてタンスのいちばん上のひき出しには背が届きません。そこで下のひき出しに足をかけ、必死によじのぼりました。こうしてなんとか小銭をくすね取ることに成功したのです。

ところが、まんまと見つかりましてね。それからが大変です。母親は私の首根っこを押さえてズボンを引きずりおろし、サオ竹でおしりを叩きました。私はあまりの驚きと痛さに「もうしません、もうしません」と懇願しましたが、母親は手を止めようとしない。「そんな子に育てた覚えはない」と言いながら、涙をぽろぽろこぼして叩き続けました。その時、幼な心に、「世の中にはしていいこととといけないことがある。母親が悲しむようなことは絶対にしてはいけないんだ」ということを強く思い

幼少期、家族と（右から２番目）

ました。実に衝撃的な体験でした。

体罰はダメだと言いますが、私がもしあの時、言葉で叱られただけなら、同じ過ちを繰り返していたかもしれません。涙を流しながら叩いてくれたのは、母親のひとつの人生教育だったんだと思います。

教育への絶対的な信頼

もっとも、それからも私はいたずらっ子でしたから、学校でもしょっちゅうふざけたり羽目をはずしたりして先生に殴られていました。でも、家に帰って「先生に殴られた」と訴えても、母親は「またあんたが悪いことしたんでしょ」ととりあってくれない。今の時代なら学校にかけこんでいてもおかしくないんでしょうが、母親はいつも、「うちの子は殴られるような悪いことをしたに違いない。先生が正しい」というスタンスを崩さなかった。結果として、私に先生に対する尊敬の念を持たせるという姿勢を貫いたことは、今振り返るととてもありがたいですね。

事実、中学時代に精神的にグレかけた私を救ってくれたのは、クラス担任の先生でした。理科の先生でしたが、とてもあたたかくユニークな人で、生徒たちの心をつかむのが上手でした。たとえば授業中、教室がざわめくと、「ちょっと出ようか」なんて野外授業と称して生徒たちを外に連れ出してくれる。近くの愛宕山《あたごやま》にみんなで登って、車座になって授業ともつかない雑談をしてくれてね。そんな先生への親しみと信頼が、すさみかけた私の心をあたたかくほぐしてくれたのです。

弱者の立場に負けない気概

通っていた中学は、八幡浜市にひとつしかないマンモス中学で、ひと学年に十四学級もありました。その中で私がいたのは、十四番目の養護学級、今でいう特殊学級です。その頃私は、肋膜《ろくまく》炎の診断を受けていて「病弱児」として扱われたのです。

クラスには、肢体不自由や知的障害、不登校など、いろんな弱みを抱える友人がいました。その弱みゆえに、他のクラスの子たちからいじめを受けることもあり、その分、団結心は強かったです。特に私なんか、正義感が人一倍でしたから、弱い同級生をいじめる者は許しません。負けてもつっかかっていってね。幸い、逃げ足だけは自信がありましたから、相手をぶん殴ってぱっと逃げることを得意にしていました（笑）。

中学生という多感な時代に弱者の側からものを見られた経験も、とても貴重だったと思います。

生涯一度だけの受験勉強

さて、私は早い段階で高校への進学を希望していましたが、そろそろ受験勉強しないといけないかなと考えはじめた頃、高校は定員割れで無試験で入学できることがわかりました。実は中学に入る時も、ちょうど学制の変換期で試験がなくなり、二度続けて受験をまぬがれたことになります。この幸運を喜んだのは、言うまでもありません。

しかし、大学はそういきませんでした。私にはふたつ上の兄がいて、彼は京都大学の医学部に入るのに、一浪しています。そういう姿を見てきたので、高三になるとさすがに勉強しないと大学には受からないだろうと当然のように思いました。そこで、母に頼んで参考書を各教科一冊ずつ買ってもらい、それを唯一の頼みの綱に、学校から帰ると独学で勉強しました。何度も何度も覚えるくらいやりましたね。結果的に、それがよかったのでしょうか。春には希望していた東京大学の合格通知を手にしていました。

東大を選んだのは、単純に兄が京都にいるので同じところに行きたくないと思ったこと、それから高一の時、たまたま生物で優秀な成績をとって、先生に「君なら東大に入れる」と言われたのを真に受けたことです。つまり、そんなに志と言えるものはなかったということです（笑）。

「先生のお給料を上げてあげる」

大学を出てから文部省に入ったのも、最初から考えていたことではないんです。ただ、国家公務員試験に受かり、就職を決める頃になって、中学時代にお世話になったあの先生の野外授業の時のことが思い出されましてね。例によってクラスのみんなで車座になって和気あいあいとしていた時に、私は話のはずみで無遠慮にも先生に「お給料いくらもらってるの」と聞いたんです。すると先生も正直に答えてくれて、それが子ども心にもびっくりするほど安かった。で、大胆にも「僕が大きくなったら、先生のお給料を上げてあげるよ」と言ったんですよ。そういうことがあったなあ、それなら文部省に行かなきゃ、と単純に思いましてね。他のことはほとんど考えず、文部省にぶっつけで願書を出しました。だから、就職活動というものをした記憶は、全くありません。

採用してもらえたからよいようなものの、無鉄砲と言えば無鉄砲ですね。

政治家にだけは向いてない

役人時代は、いろいろな法律をつくりました。特に現在の著作権法は、私が原案から起草して一二四条にまとめあげたのです。一か月ちょっとの間で、国内外の文献にあたり、文章をつくりあげていく、実にハードな体験でした。もちろんそれだけやっても、法律として通るかどうかは政治の問題になってくる。ですから、そのあとも、さまざまな政治家の先生方とお会いしてお話させていただきました。この間、政治家の実態というものもたっぷり見ました。

それでつくづく、自分は政治には向かないと思ったんです。だから、選挙に出ないかというお話をいただくことがあっても固辞し続けていました。だけど、ついに断りきれなくなって（笑）、最後の最後にお受けしたのが、この愛媛県知事選だったんです。

みんなの意見を生かした県政を

もちろん、やるからには「向かない」なんて言い訳は通用しません。私がやるからには、私ならではのやり方をつくっていきたいと思っています。

これまでの県政は、どちらかというとトップダウンで、知事の意向ひとつですべてが決まっていました。しかし、私はむしろ、各分野の県民の声とか、良識ある若い人の考えをどんどん取り入れていきたいと思っています。オープンディスカッションでいろんな意見を自由に出してもらった上で、ひとつの方向に収斂《しゅうれん》していければ、と思います。

もちろん、私自身にも考えていることはたくさんありますが、それを押しつけては今までと同じようになってしまう。知事の権限はオールマイティですからね。それよりも自然体で、多くの人が賛同する意見をくみあげていくシステムをつくっていく方が望ましい。まだ時間はかかると思いますが、納得いくまでやるつもりです。

みなさんにも、ぜひ心にとめておいてほしいのは、世の中にはいろんな意見を持った人がいるということ。自分の意見を持ってきちんと主張することと同じくらい、相手の言葉に耳を傾けることも大切です。それはすなわち、相手の立場を尊重する、思いやりをもつということです。これからの時代には、そんな柔軟性とやさしさがますます求められていくと思います。

２　ムゥシケーで惻隠の心を　――感性の根幹をなすもの

平成六年十一月『感性』創刊号

魂の内奥へしみこむ教育

オーストリアの動物行動学者でありノーベル賞受賞者であるコンラート・ローレンツは、「文明化した人間の八つの大罪」として、①人口過剰、②生活空間の荒廃、③人間同士の競争、④感性の衰滅、⑤道徳的な頽廃《たいはい》、⑥伝統の破壊、⑦教化されやすさ、⑧核兵器を挙げ、現代人に警鐘を鳴らしている。このうち、④について特に共感を覚える一人として、⑤にも関連して内外の文献を紹介かたがた、私なりに若干の感想を述べてみたい。

美しいものを美しいと感ずることはもとより、人の心の痛みを自分の心の痛みとして感ずることができるかどうかも、〈感性〉の根幹をなすものではなかろうか。その意味において、既に紀元前四世紀に、表現の差こそあれ、洋の東西における先哲の次のような指摘の存するところである。

中国では、孟子が信頼する弟子の公孫丑《こうそんちゅう》との対話において、「人皆、人に忍びざるの心有り。……人皆、人に忍びざるの心有りと謂《い》う所以《ゆえん》の者は、今、人乍《にわか》に孺子《じゅし》の将《まさ》に井《い》に入らんとするを見れば、皆怵惕《じゅってき》・惻隠《そくいん》の心あり。交わりを孺子の父母に内《い》れんとする所以にも非ず。誉れを郷党・朋友に要《もと》める所以にも非ず。その声を悪《にく》みて然《しか》るにも非ざるなり。是に由りて之を観れば、惻隠の心無きは、人に非ざるなり。羞悪の心無きは、人に非ざるなり。辞譲の心無きは、人に非ざるなり。是非の心無きは、人に非ざるなり。惻隠の心は、仁の端なり。羞悪の心は、義の端なり。辞譲の心は、礼の端なり。是非の心は、智の端なり」と彼の道徳哲学を説いている。

貝塚茂樹氏の名訳でその一部を噛み砕いていただくと、「……人間はだれでも他人の悲しみに同情する心を持っているというわけは、今かりに、子供が井戸に落ちかけているのを見かけたら、人はだれでも驚きあわて、いたたまれない感情になる。子供の父母と懇意になろうという底意があるわけではない。地方団体や仲間で、人命救助の名誉と評判を得たいからではない。これを見過ごしたら、無情な人間だという悪名をたてられはしないかと思うからでもない。このことから考えてみると、いたたまれない感情を持たぬ者は、人間ではない。……」ということになる。

〈惻隠の心〉を別の言葉でいえば、〈他人に対する愛〉でもある。ロシアの文豪トルストイは、『人生論』の中で、こう言っている。

「愛とは自分よりも他人を選ぶことである。……愛の大きさは分数みたいなもので、その分子となるのは、他人に対するわたしの愛着、共感といったもので——わたしの意のままにはならないもの。分母の方は自分に対するわたしの愛で、自分の動物的自我に与える意義次第でいくらでも大きくも、小さくもできるものだ。真の愛はいつもその根底に個人的幸福の放棄と、そこから生まれる万人への善意を含んでいるものである」（中村融訳）

一方、ギリシャでは、哲人プラトンが大著『国家』において、人間の魂には、それによって理《ことわり》を知るところの〈理知的部分〉、それによって欲望を感じて興奮するところの〈欲望的部分〉、それによって憤慨するところの〈気概の部分〉の三種類の要素があり、これらの要素に対応して、人間の最も基本的な分類として、〈智を愛する人〉、〈勝利を愛する人〉、〈利得を愛する人〉、という三つの種類があるとしている。そして、〈智を愛する人〉こそが国家のすぐれた立派な守護者となるべき者であるが、そのような人になるための教育のあり方としては、まずムゥシケーによる教育から始めるべきであるとしている。

ギリシャ語のムゥシケーとは、本来ギリシャ神話にいうムゥサ（ミューズ）の女神の司るすべての学術・技芸を含むものであるが、英語のミュージックの語源であることからも知れるように、プラトンは特に音楽と詩を念頭に置いて用いているようである。というのは、ムゥシケーによる教育の決定的に重要な理由として、歌を言葉（歌詞）、調べ（音階）、リズム（拍子と韻律）の三つの要素に別《わ》けて、言葉の教育に触れた後、「なぜならば、リズムと調べというものは、何にもまして魂の内奥へと深くしみこんで行き、何にもまして力強く魂をつかむものなの……だから。そこでしかるべき正しい教育を与えられた者は、欠陥のあるもの、美しく作られていないものや自然において美しく生じていないものを最も鋭敏に感知して、かくてそれを正当に嫌悪しつつ、美しいものこそ賞め讃え、それを歓びそれを魂の中へ迎え入れながら、それら美しいものから糧を得て育くまれ、みずから美しくすぐれた人となるだろう……から――まだ若くて、なぜそうのかという理を把握することができないうちからね」（藤沢令夫訳）と述べているからである。

ところで、時代は二十数世紀も下ってではあるが、日本でも、五千円札の肖像になっている新渡戸稲造博士が一八九九年に英文でアメリカにて出版された『武士道—日本の魂』という名著がある。これは、当時の日本人の精神構造を外国人に理解してもらうために「日本思想の解明」という形で書かれたものであるが、クリスチャンである博士の著述であるだけに、かえって説得力を持っている。登場する事例は、四十七士、「先代萩」、太田道灌《どうかん》、源義家、熊谷直実《なおざね》、上杉謙信、『菅原伝授手習鑑』、平重盛、山中鹿之介、勝海舟、木村重成の妻など、能や歌舞伎の題材となったものが多く、なかにはフィクションである歌舞伎そのものも取り上げられているところが興味深い。

健全な日本人の感性

たとえば、前九年の役で、逃げる敵将安部貞任《さだとう》に源義家が「衣のたてはほころびにけり」と詠みかけたのに対し、貞任が「年を経し糸のみだれの苦しさに」と上の句を返歌したため、「義家は、引きしぼりたる弓を俄《にわ》かに弛《ゆる》めて立ち去り、掌中の敵の遁《に》ぐるに任せた。人怪しみてその故を問いたれば、敵に激しく追われながらの心の平静を失わざる剛の者を、恥ずかしめるに忍びず、と答えたという」（矢内原忠雄訳）という事例。また、一の谷の合戦で平敦盛を組み敷いた熊谷直実が「あな美しくの若殿や、御母の許《もと》に落ちさせたまえ、熊谷の刃《やいば》は和殿の血に染むべきものならず、敵に見咎《とが》められぬ間にとくとく逃げ延びたまえ」（同上）と助け起こしたのに、敦盛に拒まれ、泣く泣く首をはね、出家して余生を行脚したという事例などを挙げ、「戦闘の恐怖の真唯中において哀憐の情を喚起することを、ヨーロッパではキリスト教がなした。それを日本では、音楽ならびに文学の嗜好が果したのである。優雅の感情を養うは、他人の苦痛に対する思いやりを生む。しかして他人の感情を尊敬することから生ずる謙譲・慇懃《いんぎん》の心は礼の根本をなす」（同上）と第五章「仁・惻隠の心」を締めくくっている。

このような文章を百年近く前に英語で書き下ろしたということも驚異であるが、独断を許していただければ、新渡戸博士の思想の中には、孟子とプラトンの思想哲学が日本的な形で見事なまでに結実していると言っていい。矢内原先生が「訳者序」として「博士が本書に横溢《おういつ》する愛国の熱情と該博《がいはく》なる学識と雄勁《ゆうけい》なる文章とをもって日本道徳の価値を広く世界に宣揚せられたことは、その功績、三軍の将に匹敵するものがある」と激賞されたのも、うべなるかなである。

一説によると、歌は五十万年前に、そして言葉は八万年前に発生したとやら。とすれば、四万年前といわれるホモ・サピエンスの誕生以前の原始人類の段階でも歌を楽しむ感性を有していたということが言える。明治維新前の日本人の心情は歌舞伎の題材で説明されえようが、その後の日本人の心情は幼いころからの叙情曲で説明できないだろうか。

もう五年前にもなるが、ＮＨＫの視聴者六十五万七千人により「日本の歌ふるさとの歌」が選定された。①赤蜻蛉《とんぼ》（夕焼け小焼けの赤とんぼ……）、②故郷（兎追いし彼の山……）、③夕焼小焼（夕焼け小焼けで日が暮れて……）、④朧月夜《おぼろづきよ》（菜の花畑に入り日薄れ……）、⑤月の砂漠（月の砂漠をはるばると……）の順であり、いずれも心に沁みるしみじみとした歌が上位を占め、テーマがテーマで応募した世代の偏りがあったにしても、日本人の感性いまだ健在なりと思ったものである。

もちろん、こういった歌曲のトーンは日本独特のものではなく、中国の「草原情歌」、韓国の「アリラン」、台湾の「雨夜花」、ロシアの「アガニョク（灯）」、インドネシアの「ブンガワンソロ」、マレーシアの「ラササヤン」、ヴェトナムの「ディエム・フア（美しい昔）」などのアジア地域の曲に共通するところもあるが、いずれにしても、パスカルがいうところの「考える葦」に至るまでの子供時代に耳にした曲はその人の心の糧になっているに違いない。

国立劇場理事長としての手前味噌を言わせてもらえば、幼いころに、今でもその価値を失わない心の歌である文部省唱歌に接し、長じては、（決して道徳的とは言えないにしても）すぐれて日本の伝統的ムゥシケーである歌舞伎・文楽・能を鑑賞することが、惻隠の心を持った日本人になる最適の方法であると信じて疑わない。

もっとも、世の中にはこういう皮肉屋さんもいる。ジュネーブ生まれのフランス人思想家ジャン・ジャック・ルソーは教育について述べた『エミール』の中で曰く、「書物のなかで偉大な義務を説きながら、身のまわりにいる人にたいする義務を怠るような世界主義者を警戒するがいい。そういう哲学者は、ダッタン人を愛して、隣人を愛する義務をまぬがれようとしているのだ」（今野一雄訳）と……。

だが、幸か不幸か、筆者はそういう哲学者ではない。

3　教育改革への期待　――修身、道徳、そして心の教育

平成十年三月『学校教育研究所　年報』

教育改革の意味するもの

行政改革・財政構造改革などの橋本内閣の六大改革の一つに教育改革が位置付けられて以来、教育改革プログラムの設定や中央教育審議会の逐次答申という形で、教育改革に関する方向性がおぼろげながら見えてきつつある。

教育改革という言葉が世間に登場してから久しく、もう十数年を経過しているが、動機・発想において、教育荒廃の実態、就学拒否の問題、入試競争の激化、詰め込み教育の弊害、個性無視の一律教育、ゆとりの欠如、理工系教育に対する不満、等々が教育制度疲労に起因するとの大合唱に集約されているようであり、神戸の酒鬼薔薇聖斗事件がその大合唱に強烈な加速を付けたと言うことができよう。

そもそも「改革」とは、辞典の定義によれば、元となる基盤は維持しつつ、制度や組織などを改め変えることを意味する。これに対し「革命」とは、「改革」とは異なり、元となる基盤に拘らず、既成の制度や価値を根本的に変革することを意味する。

教育改革とて、その埒外《らちがい》ではありえない。かつて事実上の教育革命によって全否定された基盤を回復する意味での、教育革命的性格を含んだ意味での教育改革であることを必要とし、今回の教育改革が単なる名前だけの改革に終わってしまってはならない性格を有するものであることを指摘するのが、本稿の狙いであるからである。

十九世紀のオーストリアの名宰相メッテルニヒの言によれば、「愚者は経験に学び、賢者は歴史に学ぶ」そうである。

我が国での教育改革として典型的な事例は、明治維新における「学制発布」と終戦時における「六三三制導入」であろう。

歴史上のこの二大改革の基本理念において教育界は何を得て何を失ったかを検証することが、今回の教育改革の目指すべきものへの回答たりうるのではないだろうか。

学制発布で目指したもの

明治五年の学制による近代教育制度の創始は、我が国教育史上に特記すべきものであった。しかし、我が国においては、室町時代に近世学校の発端が認められ、江戸時代に至って多数の藩校や寺小屋などの学校あるいは青少年組織としての若者組などが存在していた。明治政府は、これら江戸時代からの諸学校を基礎とし、さらに欧米諸国の教育制度を参照して、我が国の学校教育制度を創始したのである。

学制においては、学校制度の体系として小学（八年制）、中学・大学の三段階を基本とし、「必ず邑《むら》に不学の戸なく家に不学の人なからしめん事を期す」として、全国を大・中・小学区に分かち、全国津々浦々に一挙に五万三七六〇の小学校を設置しようとするものであったが、無から有を生ぜしめたわけではなく、前述の基盤の存していたことを忘れてはならない。ただ、教員養成のために師範学校を設け、卒業生を教師として小学校へ派遣する方策は、江戸時代には全くなかったことであった。

学制発布の今日的評価は、とかく具体的な学校の設置ということに目が向きがちであるが、学校設置の要因となった理念こそは、制度そのものよりも重視されなければならない。

学制序文は、学制の教育理念を明示したものであり、新しく全国に学校を設立する主旨を述べ、また学校で学ぶ学問の意義を説いている。そこに示されている教育観・学問観は、欧米の近代思想に基づくものであり、個人主義・実学主義に視点を置き、士農工商、四民平等の立場から全国民を対象とするものであることを強調している。

しかし、学制序文に記された語順に注目していただきたい。書き出しの部分には、「人々自ら其身を立て其産を治め其業を昌《さかん》にして其生を遂るゆえんのものは他なし身を修め智を開き才芸を長ずるによるなり而て其身を修め智を開き才芸を長ずるは学にあらざれば能はず是れ学校の設あるゆえんにして……」とある。

当時の欧米列強に比しての日本の国力・民情・文化の程度に鑑みれば、欧米先進国に追いつくためにそれらの制度を参考にして学制を導入しようとした意図はそうであったとしても、その最大の理念が、国民をして「身を修め」させることにあったということは、「智を開き」や「才芸を長ずる」を記述するに先立って「身を修め」なる用語を冒頭にもってきた当時の先人の思いを通じて烈々と感ずるものである。

そのことは、明治十二年に示された「教学聖旨」にも表れている。まず、「輓近専《ばんきんもっぱ》ラ智識才芸ノミヲ尚トヒ文明開化ノ末ニ馳セ品行ヲ破リ風俗ヲ傷フ者少ナカラス」とした上で「道徳ノ学ハ孔子ヲ主トシテ人々誠実品行ヲ尚トヒ然ル上各科ノ学ハ其才器ニ随テ益々長進シ」と教学の本意を説いている。この時期の道徳は「忠孝」を中心とするものであったとする後世の批判はともかく、知育よりも徳育を優先させた考え方は、学制の基本理念として今なお高く評価されるべきであろう。

明治二十三年に出された「教育勅語」の発布は、小学校及び師範学校の教育に大きな影響を与えたが、①父母ニ孝ニ、②兄弟ニ友ニ、③夫婦相和シ、④朋友相信シ、⑤恭倹己レヲ持シ、⑥博愛衆ニ及ホシ、⑦学ヲ修メ、⑧業ヲ習ヒ、の順で具体的な徳目を示した後に、「以テ知能ヲ啓発シ徳器ヲ成就シ」と続く。忠君愛国の部分を除けば、古今不易の道理として「拳拳服膺《けんけんふくよう》」するに何の拘りもありえようはずはない。

明治十三年の教育令改正により、小学校の学科の冒頭に「修身」を置いたことは、学制の基本理念からして、当然といえば当然のことであったろう。

「修身」に相当する教育は、欧米では学校における宗教教育が果たしていた。五千円札の肖像に採用されている新渡戸稲造博士が、ベルギーの法学大家から日本の学校には宗教教育がないことに驚愕されたことから思い立って、日本紹介のため明治三十二年に英文で発表した『武士道―

日本の魂』には次のような一文がある。

「戦闘の恐怖の真唯中において哀憐の情を喚起することを、ヨーロッパではキリスト教がなした。それを日本では、音楽ならびに文学の嗜好が果たしたのである。優雅の感情を養うは、他人の苦痛に対する思いやりを生む。しかして他人の感情を尊敬することから生ずる謙譲・慇懃《いんぎん》の心は礼の根本をなす」（矢内原忠雄訳）

新渡戸博士が質問された時点で「修身」を外国の宗教教育に相当するものとは考えなかったとすればいささか迂闊《うかつ》であったとしか言いようがないが、江戸時代までの武士の教養とされていた日本の音楽と文学が儒教精神に裏打ちされたものであったことを念頭に、このような文章を書いたのであろうと思う。

いずれにしても、「武士道」における道徳体系として博士が項目別に列挙された義・勇・仁（惻隠の情）・礼・誠・名誉・克己などが、「修身」の徳目と相通ずる点は興味深い。

戦後教育改革のもたらしたもの

占領軍総司令部（ＧＨＱ）は、軍国主義的・国家主義的観念の排除を意図し、修身、日本歴史及び地理の停止を指示したが、戦後の教育改革を促したのは、昭和二十一年三月に来日したストダード博士をその団長とする二十七名の米国教育使節団の報告書であった。

わずか一か月の滞在期間でとりまとめた報告書であるから、国語改革として新聞・雑誌・書籍等を通じて学校・一般社会・国民生活にローマ字の採用を勧告するなど、国家主権の問題以前の日本民族の伝統文化の無視といった面もないわけではないが、六三三制導入の提案をはじめ、師範学校の高等師範学校と同水準へのレベルアップ、成人教育の助長、高等教育における一般教育の重視など、戦後教育改革の大綱は、この報告書によって事実上定められたと言っても過言ではない。

この報告書では、修身について次のように述べている。

「日本の教育では独立した地位を占め、かつ従来は服従心の助長に向けられてきた修身は、今までとは異なった解釈が下され、自由な国民生活の各分野に行きわたるようにしなくてはならぬ。平等を促す礼儀作法、民主主義の協調精神及び日常生活における理想的技術精神、これらは、皆広義の修身である。これらは、民主的学校の各種の計画及び諸活動の中に発展させ、かつ実行されなくてはならない」

戦後の教育改革を行うに当たって基本となる教育の理念は、新しい民主的な方法によることとされ、昭和二十一年の日本国憲法、及び昭和二十二年の教育基本法の制定と昭和二十三年の国会における教育勅語の失効確認決議によって、その方向性は明らかにされたのである。

教育民主化の精神を学校制度に実現する方針で、六三三制による学制改革が決定された。新学制は、旧制小学校にとって影響は少なく、旧制中等学校は三三に分断される混乱はあったものの、旧制高等学校・専門学校・師範学校等は旧制大学との統合再編の道を歩むことになった。

そして、小学校の教科から従来の修身・国史・地理の三教科がなくなり、新しく社会・家庭・自由研究が教科として登場した。このうち、社会科の誕生は、教育内容・方法の改革と関連して特に注目すべきものであり、新教育課程は社会科を中心に推進されたと言える。その意味では、社会科は、戦後教育の長短・功罪を一身に担うこととなった。

社会科の目標は、青少年が自分たちの社会に正しく適応できるように、また、その中で望ましい人間関係を育成していけるように、進んでは自分たちの属する共同社会を進歩向上させることができるように社会生活を理解させ、社会的態度や社会的能力を養うことにあった。したがって、学習領域は単に修身・国史・地理を合わせたものということはできず、人間の営みのあらゆる社会事象を含むものであるとされた。

はたしてそうであったか。

もう一度、米国教育使節団の報告書を読み返していただきたい。「修身は、今までとは異なった解釈が下され……なくてはならない」であって、修身そのものの全否定ではない。修身の効用を認めつつ、軍国主義・国家主義の払拭を条件に、修身の存続を前提として、「修身の教授は、口頭の教訓によるよりも、むしろ学校及び社会の実際の場合における経験から得られる教訓によって行われるべきである」と述べているぐらいである。

同報告書にいう「平等を促す礼儀作法」は、教育勅語にいう「兄弟ニ友ニ夫婦相和シ朋友相信シ」と同義語と言ってよい。「民主主義の協調精神」は、少数意見の尊重とともに多数意見に基づく「国憲ヲ重シ国法ニ遵ヒ」を意味する。「日常生活における理想的技術精神」は、つるしあげや、いじめの排除につながる。

教育基本法第一条（教育の目的）は、「教育は、人格の完成をめざし、平和的な国家及び社会の形成者として、真理と正義を愛し、個人の価値をたっとび、勤労と責任を重んじ、自主的精神に充ちた心身ともに健康な国民の育成を期して行われなければならない」と規定している。

新渡戸稲造博士流の解釈で言えば、「人格の完成」＝「礼」であり、「個人の価値をたっとび」＝「仁」であり、「責任を重んじ」＝「誠」であって、「修身」こそは「人格の完成」を目指す最良の（あるいは宗教教育に次ぐ）教育方法であるということになろうか。

悲しいかな、戦後教育界の実践は、「平等」という名の下の能力を無視した悪平等、「民主的」の名の下の悪しき戦後民主主義に流れすぎてはいなかったか。

かくして、小学校時代の修身の教科書に掲げられていた徳目「過ちを隠すな」「うそを言うな」「思いやり」「親を大切に」など、そして二宮金次郎・上杉鷹山・吉田松陰・中江藤樹・ジェンナー・ソクラテス・ナイチンゲールなどの内外の偉人の簡単な伝記が、全て学校現場から消え去ってしまった。

戦前に教育上大きな役割を果たした修身の功罪のうち、忠君愛国＝軍国主義の構図のみが取り上げられ、GHQによる起訴、教育使節団による保護観察処分を経て、戦後民主主義者による断罪の結果、「修身」は「終身」その身柄を拘束されたままである。

一つの反省として、昭和三十三年に文部省は「道徳」の時間の特設に踏み切ったが、教職員組合の強烈な反対を受け、妥協の産物として名存実亡に近い実質的骨抜きになった苦い思い出がある。

「修身」の息子の「道徳」も、親父に対する罵詈《ばり》雑言《ぞうごん》の断罪を引き継ぎ、息を潜めながら無期限に近い時効の成立を待ち望んでいるというのが、実情ではなかろうか。

昭和四十一年に中央教育審議会が提言した「期待される人間像」も、教職員組合や教育学者の批判を浴びて雲散霧消してしまった。

今回の教育改革に望まれるもの

今回の教育改革への取り組みは、現在までのところ、中央教育審議会（中教審）を中心とした文部省の各種審議会における審議に委ねられているが、中教審第一次答申では「生きる力」というテーマの下で学校五日制の実施など、第二次答申では①規制緩和の視点からの入試改革、②中高一貫教育、③理数系の大学入学年齢の例外措置などが提言されてきている。

このほか、教育職員養成審議会が教員免許や採用、研修に関する答申を行い、教育課程審議会も教育課程について審議の詰めを行っているほか、中教審で地方教育行政の在り方について審議がされるなど、文部省あげての取り組みとなっている。

そして、神戸の中学生の残虐な児童殺傷事件に衝撃を受けたからだけではないであろうが、やっと中教審及び教育課程審議会において、「心の教育」をテーマとして教育の原点とその実効策について審議が開始された。

本稿執筆の時点までには「心の教育」の「心」が何を意味しているのか判然とはしておらず、論議がどういう方向に向かっていくのか予測しがたいものがあるが、少なくとも、特設「道徳」の内容の見直しと学校教育における道徳教育の最重点化なくしては、歴史上三回目の教育改革に関する答案が、「心」に関する限り絵に描いた餅となることは疑いを容れない。

戦後教育は、戦前教育に対するアンチテーゼとして、ＧＨＱ・教育学者・教職員組合・一部政党・マスコミ等々によってタブー視され、全否定された「自分の身を修める」「人間の道と徳」という人間の基本的属性に関する教育を欠いたまま半世紀を経過してきた。

児童・生徒の時代に、人倫の基本すら教えられず、あるいはおざなりの「道徳」の時間を過ごし、「自由と権利」は教えられても「責任と義務」は教えられず、経済至上主義・利己主義の風潮に染まって大人になった世代が圧倒的多数を占める教員に、児童・生徒への「心の教育」を実施する能力と資格を求めることの難しさが、まず第一ハードルとなりえよう。

初任者研修制度がそのハードルを低くする役割を果たすことができるとしても、短期促成というわけにはいかないであろう。

仁と不仁、義と不義、礼と無礼、智と無知、信と不信という対比概念を持ち出してなぞるわけではないが、人倫の道に目を背けてきた戦後風潮とは異質の観念を浸透させることの困難さを感ぜざるをえない。

かつて、英国のサッチャー首相が「自由と責任はコインの裏表（英語では表裏）である」との名言を述べたことがあるが、コインの裏（忠君愛国）に力点を置いた戦前教育の反省に基づきコインの表（個人主義）のみを強調した戦後教育、いずれも片肺飛行であって、飛行バランスを欠くに至ることは言うまでもない。

全てを望み得ないとしても、せめて「人の痛みを知り、人を思いやる」という人間の原点一つだけでも、豊富な実例教材と教員自身の実践とで、繰り返し子供に説き続けてほしい。

十六世紀フランスの思想家モンテーニュは「曲がった棒を真っ直ぐにするためには、我々は棒を反対側の方に曲げる」と言っている。極論すれば、戦後五十年の間にできた曲がりは、その五十年に匹敵する曲がりを加えなければ真っ直ぐにならないのかもしれない。

今こそ、教育行政当局も、学校管理職も、そして肝心な教員も、さらに家庭の父母も、望みうべくんば子供を取り巻く社会人も、それぞれに猛省して、棒を真っ直ぐにするために全力を投入しなければならない。

教育改革が形而下の改革に終わらず、形而上の改革たりうるためには、制度論もさることながら、「心」に関する基本理念の確立と信念をもっての実行力こそが求められる。

孟子も言っている。「無惻隠之心、非人也（惻隠の心無きは人にあらざるなり）」と。「人非人」の語源でもある。日本が孟子から人非人の世界と軽蔑されないためにも。

4 童話・童謡・童心への回帰

平成十三年一月　学校教育研究所『学校経営の基礎知識』

まもなく二十一世紀を迎える。どんな子どもたちが学校を巣立っていくのだろうか。

考えてみると、二十世紀後半の学校教育は二十世紀前半のそれをアンチテーゼとして営まれてきたように思える。もちろん、戦前の学校が忠君愛国を大黒柱とし、滅私奉公や刻苦精励を奨励することを眼目とした面の強かった事実を否定するものではないし、戦後の学校が民主主義を基調とし、個人の尊重や幸福の追求を目指したこととの成果は高く評価されなければならない。

しかしながら、そのことによって戦後の学校で得られたものと戦前の学校から失なわれたものとを比較してみるとき、平等の尊重、個人的自由の獲得、国際性の伸長といった戦前には期待しえなかった大きなメリットの一方、他人に対する思いやりの不足、自己抑制力の弱体化、礼儀作法の欠如という戦前の美徳の裏返しともいうべきデメリットを見出すことができよう。

そのよってきたる所以を説くのが本稿の目的ではない。また、今日の子どもたちの現状に対し、家庭・学校・地域社会の三者に責めを問おうとするものでもない。人間の人格形成に関し、ドイツの哲学者イマヌエル・カントは、「人は人によりてのみ人となりうべし」と述べ、オーストリアの動物行動学者コンラート・ローレンツは、「人間の頭脳は、自分の愛する人しかも好きな人からのみ文化と伝統を受け継ぐことができるようにプログラミングされている」と言っている。要は、子どもに接する親や教師や大人たち次第ということであり、その三者の現在の精神構造を総入れ替えする以外に手立てのないことであって、それを言ってしまえば、身も蓋もない話になってしまう。

そこで、戦中・戦後の学校に籍を置いた者の一人としての実体験に基づき、これからの学校への期待というよりは、むしろこれからの学校への具体的提言をさせていただきたい。

第一点は、「童話・寓話・偉人伝・自叙伝等の読書の奨励」である。

振り返ってみると、自分の幼少年期には、「嘘をついたら閻魔《えんま》様にベロを抜かれるよ」との親の言葉に始まり、いろはカルタ、「花咲かじいさん」などの童話、イソップ物語などの寓話、修身の教科書におけるナイチンゲール、ジェンナー博士、野口英世博士などの簡単な紹介、「家なき子」や「アンクル・トムの小屋」などの少年少女小説、エジソン、リンカーン大統領などの伝記等々、数多くの格言や書物の媒体を通じ、それぞれの成長段階において人間形成に役立つ心の糧を吸収していったように思う。時代こそ変われ、読書の果たす役割は多大なものがある。

教員たるもの、自分の人生の道程において、感動を覚えた読書の原体験があるに違いない。ならば、学校において、絵本でも、童話でも、マザー・テレサやガンジーや松下幸之助の伝記でも、詩集でも、歌集でも、何でもいい。子どもたちの手に入る範囲での必読書を選択し、課題とするか推奨するかは別として、読書のきっかけを作ることを学校の基本方針としてほしい。このことは、国語の教員に限らない。別教科の教員であっても、折にふれ子どもたちに強制的にではなく食欲が湧くように指導することは当然に求められなければならない。もちろん、近い将来、インターネットによる読書へのアクセスも実現する時代を迎えることであろう。

第二点は、「童謡・唱歌・歌曲・クラシック小品等の音楽の奨励」である。

私自身も、物心ついたときから会話の単語をおぼえるよりも先に童謡を口ずさんでいたように思う。子育てにも、また孫育てにも、まずもって童謡を聞かせるように仕向けているのはそのせいかもしれない。

それはともかく、明治維新後、学制発布により全国に設置された小学校の必須教科に唱歌を導入したことは、当時の明治政府並びに学校唱歌の創始者伊沢修二（文部省音楽取調掛、後の東京音楽学校校長）の大功績であり、その見識は高く高く評価されるべきものである。当初は外国の民謡や歌曲に日本語の歌詞を無理やりくっつけてスタートしたものであるが、明治末期に高野辰之作詞・岡野貞一作曲のコンビが登場し、「春が来た」「紅葉」「春の小川」「朧月夜」「故郷」などの文部省唱歌を世に送って、戦前・戦中の子どもたちの心の拠り所となったことを思い出す人は数え切れないことであろう。

情操教育に音楽の果たす役割を述べた最古の文献は、紀元前四世紀にさかのぼる。ギリシアの哲人プラトンの大著『国家』の中では、国家の守護者たるべき人を教育するには音楽から始めなければならないと説いている。その理由として、詩に関しては、子どものころから知らず知らずのうちに美しい言葉を愛好し、それと調和する人間へと導いていくだろうし、曲に関しては、美しいものから糧を得てはぐくまれ、自ら美しくすぐれた人となるだろうと述べている。

望みうべくんば、始業前、休み時間、昼休み、終業後のあらゆる時間を利用し、音楽教師の選択により、学校段階に応じて、童謡・唱歌・歌曲・クラシック小品等の音楽を校内放送で流し続けるぐらいの試みをする学校がたくさん出てきてほしい。

第三点は、「異年齢層によるグループ活動の奨励」である。

顧みると、自分の幼少年期には、同年齢層構成の横社会よりは、町内の異年齢層構成の縦社会において多くのことを学んだように思う。縦社会にはその社会なりのルールがあり、未成年のリーダーが決定権を持つがゆえにやや理不尽なものもないわけではないが、大人社会の基準に照らしてみてもおおむね許容範囲内にとどまる場合が多い。そして、その縦社会でこそ、天真爛漫にして無邪気な童心がはぐくまれていったのである。

学校内においては、文化・スポーツに関するクラブ活動や部活動が縦社会活動の典型例であろうし、それがボランティア活動であれば言うことなしである。また、学校外においては、町内会での子ども活動、礼に始まって礼に終わる剣道場、ボーイスカウト、ガールスカウト、集団野外活動、一定期間の農山村での体験、可能ならば無人島での合宿体験、等々が考えられる。

これらは、上級生の下級生に対する思いやり、集団の中であるがゆえにの自己抑制・礼儀作法などを自然発生的に培う格好の教材たりうるものであろう。好むと好まざるとにかかわらず、一生人間社会で生きていかなければならない宿命を背負っている子どもたちに、ミニ社会での健全な童心が育つように仕向けることこそ、学校に課せられた責務である。

5　わが精神の拠り所として　――わが内なる坂村真民

平成十六年二月『月刊致知』

事務所に掲げた書

私は五年前（平成十一年）、愛媛県政の変革を訴えて知事選に出馬しました。四期目を目指す現職の壁は厚く、大変厳しい戦いを余儀なくされました。

そうした中、知人を介していただいたのが、坂村真民《しんみん》先生の書「念ずれば花ひらく」でした。その勇気と希望に満ちた言葉、味わい深い書に心打たれた私は、さっそく、その書を選挙事務所の中央に掲げました。長く苦しい戦いを経て、私の思いが見事花ひらき、愛媛県知事に就任できたのも、真民先生の書によって精神的に支えていただいたおかげだと思っています。その時以来私は真民先生を、心中密かに大恩人として慕ってきたのです。

念願が叶い、真民先生との対面が実現したのは平成十一年、真民先生に愛媛県功労賞をお受けいただいた時のことでした。授賞式並びに祝賀会でじっくりとお話をさせていただく機会に恵まれ、真民先生に対する親しみや尊敬の念はますます強固なものとなりました。

直接お会いした真民先生の印象は、慎み深い慈父のようでした。多事多難の人生を通じて磨き抜かれたお人柄、優しさ、包容力といったものが、先生の内からにじみ出て、お側にいるだけで心和み、夢がふくらんでいくような思いがしました。
好きな真民先生の詩はたくさんありますが、一つだけ挙げるとすれば、「本気」という詩です。

本気になると
世界が変わってくる
自分が変わってくる

変わってこなかったら
まだ本気になってない証拠だ

本気な恋
本気な仕事

ああ
人間一度
こいつを
つかまんことには

私はこの詩の「本気」という言葉を、「元気」という言葉に置き換えて自らを鼓舞し、日々の諸問題に対しています。昨年（平成十五年）から二期目に入った加戸県政のテーマ「愛媛の元気創造をめざして」も、真民先生の詩に触発されて掲げたものです。

長引く不況のあおりを受けて、近年は、ミカンや魚介類をはじめとする愛媛県の特産物が軒並み不振を極めています。何とかこの状況を打開し、愛媛経済の活力を取り戻すことによって、県民の生活をより豊かなものにすることが、知事である私の最大の課題です。元気になれば、自分を取り巻く世界が変わり、必ずや愛媛も変わってくる。このことを信じ、己のすべてを投入して県政に取り組んでいるのです。

坂村真民書「愛媛産には、愛がある。」

こうした考えのもと、全国に愛媛の物産をPRするキャンペーンを立ち上げ、そのキャッチフレーズを公募。「愛媛産には、愛がある。」という言葉を採択しました。私は、この言葉をぜひとも真民先生にお書きいただきたいと考えてご依頼をしたところ、快くお受けいただきました。

現在この書は、県職員の名刺をはじめ、県内各所はもとより、愛媛県の物産販売所を設けてある東京や大阪にも掲げています。真民先生特有の味わい深い書は、道行く人の視線を集め、また名刺交換の度に和やかな話題を提供し、おかげさまで絶大なＰＲ効果を生むこととなりました。物心両面にわたり県政にご支援をいただいている真民先生は、わが郷土愛媛県にとって、そして私個人にとって、なくてはならない、かけがえのない存在なのです。

判断の次元を引き上げてくれる詩

やまとの国は言霊《ことだま》の幸《さきは》ふ国――。かつて日本人は、母国語である日本語の高い文化性、精神性を尊び、大切に使っていました。残念ながらこの頃は、言葉の乱れとともにそうした日本語のよさは影を潜めてしまいましたが、真民先生の詩は、日本語本来の素晴らしい特性が見事に生かされ、言葉に宿る霊が幸うているのを強く感じます。だからこそ、単なる文芸作品の域を超えて、読む人の魂に直接響き、安らぎや勇気や希望を与えてくれるのだと私は思うのです。

そういう真民先生の詩は、私の精神活動の一つの大きな拠り所となっています。

多忙な毎日を送っていると、ついつい現実の事象に目を奪われ、場当たり的な判断をしてしまいがちです。しかし、そこで自分の判断基準を一段高い次元に引き上げることができれば、大所高所に立ったより適切な決断を下すことができるものです。真民先生の詩を紐《ひも》解き、その内に込められている崇高な思想に心を向けることは、自分の判断を客観的にチェックし、より高いものへと是正する効果をもたらしてくれるのです。

県庁の執務室にも自宅にも、真民先生の詩集は手を伸ばせば届くところに常に置いてあります。真民先生の詩は、私にとってクリスチャンのバイブルにも相当するものと言え、折に触れては手

愛媛県知事室にて（平成 13 年 1 月）

に取り、ページをめくっています。そこに表現されているものの考え方、価値観が、私の行動や判断の基準として、大きなウェイトを占めているのです。

毎朝、来明混沌《こんとん》の午前零時に目覚め、地球の平安と人類の幸福を祈りながら詩作に励む真民先生には及ぶべくもありませんが、私もその姿勢に倣い、県民の幸福を心から願い、誠心誠意、県政に務めるべく努力を続けています。

「愛媛の元気創造」を真に現実のものとするためには、県民一人ひとりが、自分さえよければという狭い考えから脱し、各々が持つ物的心的資源を与え合い、助け合って暮らしていくことが大切です。私は真民先生の詩を心の拠り所に、自らが範となって、元気な愛媛の実現に全力を尽くしてまいります。

第2章

国、地域の発展に身を尽くして

第1節　教科書改善・憲法改正に向けて

1　高校生に誇りある歴史教科書を

平成二十四年十一月『祖国と青年』

愛媛県立高校三校で『最新日本史』採択

――高校用歴史教科書『最新日本史』（明成社）は、十年ぶりに改訂編纂が行われ、本年（平成二十四年）三月に検定合格しました。

高校の教科書採択は各校ごとの判断で決まるということもあり、今夏の採択戦において『最新日本史』は私立高校での採択がほとんどでしたが、愛媛県では特に三校の県立高校での採択を勝ち取り、新たな広がりが生まれつつあります。本日は、その愛媛県の採択においてお力添えをいただいた加戸前知事にお話を伺います。

愛媛県は、昨年の中学校の教科書採択戦において、県下二十％で育鵬社を採択するという顕著な成果をあげられ、そのことが今回の『最新日本史』採択にもつながっていると思いますが、採択戦を振り返っていかがでしょうか。

加戸　愛媛では、平成十三年に扶桑社の『新しい歴史教科書』が登場した当初から、愛媛県議会議員の森高康行さん、日本会議愛媛県本部などが中心となって、中学校歴史教科書の採択運動に取り組んできました。その約十年の積み重ねが昨年の育鵬社採択、今年の明成社採択につながったのかなと思っております。

実は、これまで中学校歴史教科書の扶桑社、育鵬社採択には力を入れてきましたが、高校の歴史教科書はあまり意識してきませんでした。運動を進めている方々も、中学校の採択戦で力を使い果してしまいますから、高校まで意識が向かなかったのです。しかし今回は、新教育基本法に基づく学習指導要領の改訂があって最初の採択ということもあり、今こそ高校についてもやるべきではないか、という話になりました。

昨年、愛媛の県立中学校のうち、今治市、四国中央市、上島町で育鵬社が採択されましたが、せっかく中学校三年間育鵬社で学んでも、高校に進んだ時に教科書のトーンが変わってしまったのでは教育の一貫性がありません。育鵬社で学んだ生徒には、ぜひ高校では明成社で学んでもらいたい、というのが基本的な考え方でした。

あまり十分な準備期間もなく慌ててやったところもあり、また高校の場合、いくら教育委員

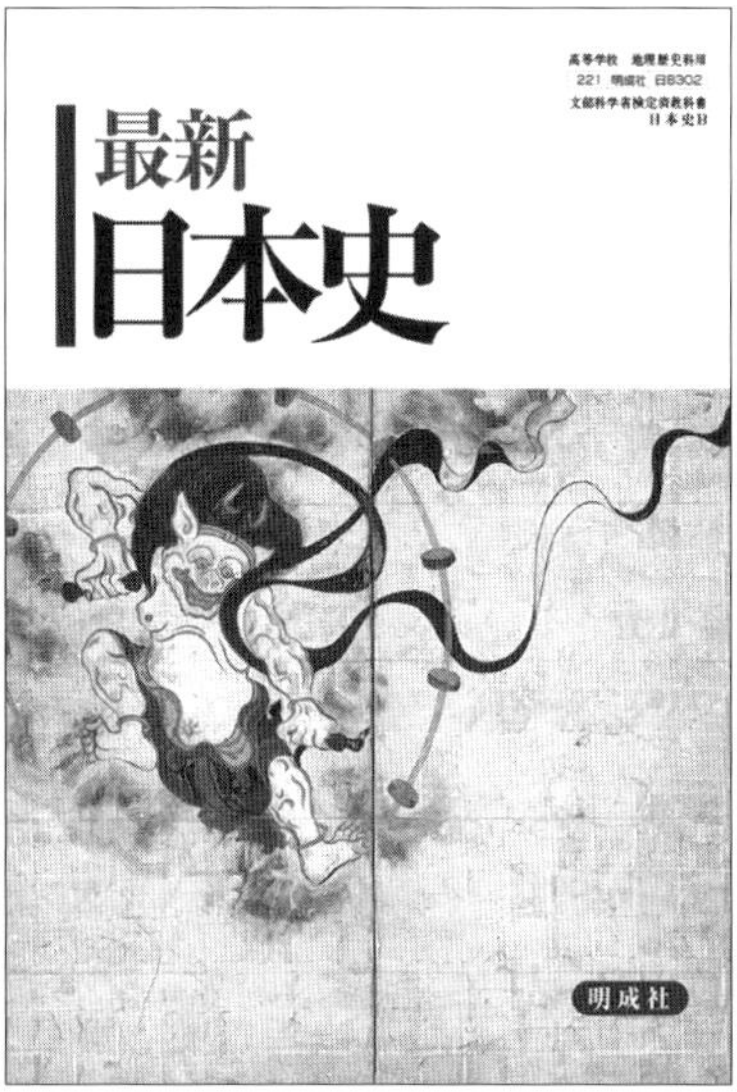

明成社『最新日本史』

会に働きかけたとしても、実際には学校から申請があったら一〇〇％その希望を通す形になっています。そうしますと、結局個々の学校の校長先生や日本史の先生の判断になってきますので、どれだけやれるのかという不安もありましたが、結果として土居、弓削《ゆげ》、三瓶《みかめ》の三校で突破口が開けたので、初年度の取り組みとしては手ごたえを感じております。

高校の採択は、中学校とは違い毎年ありますから、取っ掛かりさえ作っておけば、これから一気呵成《かせい》に採択校を伸ばすことも可能ではないかと思っております。

――平成十八年に教育基本法が改正されたことも、歴史教科書改善を進める上で、大きな追い風になったのではないでしょうか。

加戸　育鵬社にしろ明成社にしろ、「伝統と文化を尊重し、我が国と郷土を愛する態度を養う」という新教育基本法の理念に即した教科書を採択すべきだ、という大義名分を掲げることができました。教育基本法が改正されたことの意義は大きいと思います。

「洋上研修」で新任教員を北方領土へ派遣

――高校の歴史教科書は、選択科目ということもあって中学校に比べて注目度が低いのですが、実際に開いてみると、『最新日本史』以外の他社の教科書にはひどい記述が多いです。

加戸　私も明成社の方からいただいたチラシを読んでびっくりしたのですが、かつて「従軍慰安婦」の記述が大きな問題になって、中学校の歴史教科書から記述が一掃されました。ですから、もう日本の教科書から姿を消したのだと思っていたら、高校の方では残っているんですね。「南京大虐殺」についても、未だに二十万人、三十万人というとんでもない数字をあげている教科書があるそうです。

――また、北方領土や竹島などの領土の記述についても、日本の主張とロシア、韓国の主張を並列し、まるでロシアや韓国の主張にも一理あるかのような書き方をしている教科書があり、非常に憂うべき状況です。

加戸　国家主権というものは、「国民の生命・財産を守る」ことと「領土を守る」こと――この二つが基本です。この国家主権の大きな柱の一つである領土について、自国の立場を国民に教えないというのは非常に奇妙なことだと思います。

私が文部省の教科書助成局長をしていた昭和六十二年のことですが、新任の先生に一年間指導教員をつけて研修させるという「初任者研修制度」を取り入れました。その中で、二隻の船に四百人ずつ乗せて十日間研修する「洋上研修」を実施しました。

東京を出て宮城県の沖合を通り、宗谷海峡をまわって日本海に出て、そこから瀬戸内海を通って帰ってくる北回りのコースと、瀬戸内海から九州経由で沖縄まで行ってまた戻ってくるという南回りのコースに分けたのですが、私は北回りコースは北方領土に、南回りコースは沖縄の摩文仁《まぶに》の丘に行くように指示しました。まさに鉄は熱いうちに打てで、これから教壇に立つ先生に、ぜひ北方領土に対する認識をしっかり持ってほしい、沖縄の人が本土防衛のために散っていった思いを知ってほしいと思ったのです。

余談になりますが、この洋上研修は朝から晩まで研修を行うのですが、朝六時に甲板に集合させて、朝礼で国旗掲揚と国歌斉唱を行いました。そうしたら、それが国会で大問題になり、文教委員会で「なぜ日の丸を掲揚し、新任の先生に君が代を歌わせるんだ」と吊るし上げられました。その時に、私は「これは日本国がおこなう研修でございます」と答えました。

――『最新日本史』は他の教科書に比べ、歴史人物が多く登場し、その数は一六六〇名にのぼります。乃木大将や東郷元帥すら登場しない教科書がある中で、「歴史人物に学ぶ」ことの大切さについて、どのようにお考えでしょうか。

加戸　歴史は人物に即して語らないと記憶に残らないし、何世紀に何が起こったという事実の羅列だけでは無味乾燥で、勉強する気が起こらなくなります。

人物が出てくることによって、歴史に対する興味を持つのと同時に、自分たちの先祖がどのような考え方で、どんな行動を取ったのかを具体的に知ることができるわけです。そしてそのことが、日本国民としての誇りを持ち、日本という国に対する愛着を持つことに繋がっていきますから、人物にウェイトを置くという明成社の方針は評価されるべきものと思います。

――また神話伝承、あるいは神武天皇についてきちんと書いているのも『最新日本史』だけです。今年は『古事記』編纂一三〇〇年ですが、神話に学ぶことの意義について、どのようにお考えでしょうか。

加戸　私は小学生の頃、父がかつて使っていた旧制高校の受験用のテキストを見たことがあります。その最初の問題が「神話」でした。「肇国《ちょうこく》（国の始まり）ノ精神ニツイテ述べヨ」などという問題があって、それに対する模範解答が書いてあるわけです。

そのように戦前の教育は、日本国の起源を『古事記』『日本書紀』から説き起こし、それが旧制高校に入学するための必須項目でした。ところが、戦後の歴史教科書は神話を完全に封殺してしまいました。

そうなると、憲法の第一条に「天皇は日本国の象徴であり日本国民統合の象徴である」とありますが、憲法の意味もよく分からなくなるわけです。神話を抜きにして「天皇制はこうですよ」と言っても、それは日本国における天皇の地位を説明したことになりません。

神話が事実かどうかは別として、日本人が培ってきた精神文化は、まさに『古事記』や『日本書紀』に流れる神代からの考え方を受け継いで、今あるものです。ですから、神話の重要性を強調するのは非常によいことだと思います。

私は十年前、韓国の中学校教科書の翻訳を手にしたことがあるのですが、見ておりますと、やはり韓国の建国神話が載っているのです。天上から桓雄《かんゆう》が太白山《たいはくざん》に舞い降りてきて、雌《め》熊《す》と結婚して産まれた子供が檀君王倹《だんくんおうけん》で、それが紀元前二三三三年だ、などと書いてある。それを「熊が人間の子供を産むわけがない」などと言っても意味のないことで、要するに、わが国はこのように歴史の古い立派な国だということを、韓国では国定教科書（当時）で国民に教えているわけです。

こういった建国神話は、アメリカのような戦争で独立を勝ち取った国は別ですが、普通の国であればどこでも教科書に載せていると思います。

採択取り消し訴訟の原告は韓国人？

――加戸先生はもともと文部省におられ、平成十一年に愛媛県知事になられましたが、県知事になった当初から教育問題に取り組もうと思われていたのですか。

加戸　愛媛県はもともと「教育正常化県」と言われていて、日教組も壊滅状態で、他の県のような心配された状況はありませんでした。ですから私は、教育委員会制度があるのだから、教育問題は教育委員会に任せ、知事はなるべく口出しをしないというスタンスを一貫してとってきました。その中で唯一口を出したのが、扶桑社の歴史教科書が出てきた時でした。この教科書は素晴らしい教科書だから、教育委員会ではこれを採択する方向で考えていただければありがたい、と言いました。

――反対派からの執拗《しつよう》な攻撃もあったと思いますが、ご苦労されたことはありませんでしたか。

加戸　最初に採択した時の教育委員は、一日に何百枚もＦＡＸが来て大変だったと皆さんおっしゃいます。今のＦＡＸはデータを記録して、紙に出さないこともできますが、当時のＦＡＸはみなロールペーパーにアウトプットするものですから、教育委員五人の家のＦＡＸは、あっという間にロールペーパーがなくなったそうです。教科書採択反対運動というのは、教育委員に「もう煩《わずら》わしいから、採択は諦めよう」という気持ちにさせることが狙いでやっていますから、その嫌がらせに耐えることが大事だと思います。

――加戸先生は一昨年（平成二十二年）、東京で行われた「外国人参政権に反対する一万人集会」

に登壇され、「扶桑社の採択取り消しを求める訴訟を起こされたが、その原告三四五九人のうち三二五〇人が外国籍だった」というお話をされました。

加戸　扶桑社の教科書を採択してからというもの、毎年のように訴訟を起こされましたが、その数は私が知事の時代に十八件ありました。ほとんどが教育委員会を訴えたものでしたが、その中の九件は知事も連名で被告になっていました。

最初の訴訟が平成十七年で、原告一一〇〇人のうち日本人は三六〇数人、残り七百数十人が韓国人でした。平成二十一年に起きた訴訟では、原告三四五九名のうち日本人が二〇九名で、残りはほとんど韓国人というのだからひどい話です。

――その韓国人は愛媛県と何か関係があるのですか。

加戸　愛媛県在住の韓国人もいくらかは入っているでしょうが、ほとんどが韓国在住の韓国人です。なぜ愛媛県で採択した歴史教科書について、韓国人から訴訟を起こされなければならないのか。ですから、外国人参政権問題が起こった時に、「今でも教科書問題でこれだけ圧力をかけられているのに、外国人参政権を認めたら、日本は韓国人によって左右される国になってしまう」という例として、ご紹介したのです。

――加戸先生はもともと愛媛県のご出身ですが、子供たちに伝えたい愛媛の精神文化というものは、何かありますか。

加戸　愛媛の県民性というのは、言うなれば「お遍路《へんろ》さんの心」です。お遍路さんが来たらもてなしをする「接待の心」「思いやりの心」です。だから、愛媛の子供たちにも「自分のことよ

り も人のことを考えられる、優しい愛のこもった人間になってほしい」ということを知事時代から言い続けています。

中韓の干渉に屈した『新編日本史』事件

――『最新日本史』が作られたそもそものきっかけは、昭和五十七年の教科書誤報事件でした。マスコミが火を付け、中韓が反発した結果、教科書検定にいわゆる「近隣諸国条項」が設けられ、その後「侵略」などの自虐的な記述がますます大手を振うようになりました。そのような中で、誇りある歴史教科書を世に出すことを目指し、昭和六十一年に『新編日本史』(『最新日本史』の前身)が誕生しました。

ところがその『新編日本史』も、マスコミの批判キャンペーンに端を発し、中韓の干渉を受けたことによって、一度検定合格したにもかかわらず、後から四度にわたって修正意見を付けられるという屈辱的な処遇を余儀なくされました。

加戸先生は、当時文部官僚でいらっしゃいましたが、この二つの事件をどのように受け止められましたか。

加戸　私は、教科書誤報事件の時は官房総務課長で国会担当、マスコミ担当でしたが、『新編日本史』事件の時は部署が変わり、直接はタッチしていません。

昭和五十七年の教科書誤報事件によって、「政府の責任において(教科書の記述を)是正する」「検定基準を改め、前記の趣旨(アジアの近隣諸国との友好、親善)が十分実現するよう配慮する」という宮澤官房長官談話が出され、続いて「近隣のアジア諸国との間の近現代の歴史的事象の扱いに国際理解と国際協調の見地から必要な配慮がされていること」とする近隣諸国条項が定められた時は、文部省はお通夜のような雰囲気で、これからの教科書は中国や韓国の検定を受けるのか、という無力感が漂っていました。

当時、省内には検定制度をなくした方がよいのではないか、という議論がないでもありませんでした。検定制度をなくせば、中国、韓国の言いなりにならなくてもいいわけです。しかし、もっと悪い教科書が出てくるかもしれないし、そうなれば教育界も混乱する。いくら中韓の干渉を受けようと、やはり検定制度を残してあまりにもひどい記述にはブレーキをかけなければいけない、というのが文部省として踏みとどまった最後の一線でした。具体的な検定では負けても、検定制度だけは守りぬこうという気持ちがありました。

――当時は、日本国内のマスコミが中韓を煽《あお》り、中韓が日本政府に圧力をかけてくる、という構図でした。

加戸　五十七年の時もマスコミの誤報からスタートしましたし、六十一年の時も、検定が終わってもいないのに朝日新聞が「復古調」などと言って大々的に論陣を張り、わざわざ北京にお伺いを立てたわけです。

中国や韓国は、日本を極悪人のようにこき下ろした反日の国定教科書を作っていました。一方で、日本は民間の教科書を検定するのに、近隣諸国条項で中国や韓国のご機嫌を損ねないように配慮しながら、それでも叩かれる。この歪《いびつ》な対比は一体何なのかと思います。

今にして思うのは、よく『新編日本史』が中韓にズタズタにされながらも生き残ってくれた、ということです。当時の官邸の意向は正確には分かりませんが、「不合格にしろ」というニュアンスだったとも聞いております。しかし、相当骨抜きにされてもとにかく芽だけは残った。それが二十六年経って、今日の『最新日本史』につながっているわけです。

――加戸先生は「教科書は国家主権に属するものだ」とおっしゃっていますが、政治と教科書の関係についてどのようにお考えでしょうか。

加戸 今「政治主導」という言葉が使われますが、教科書に関しては九十九％政治主導だというのが、教科書事件を経験した私の実感です。しかし、それでいいのか、政治情勢の中で判断していいこととそうでないことがあるのではないか、という思いがあります。

日本の精神文化、国民の倫理規範といったものは、憲法で決めているわけでも、法律で決めているわけでもありません。まさに二千年の歴史の中で、この国に脈々として受け継がれてきたものであり、その精神文化を子供たちに伝えるものが教科書です。精神文化は、憲法や法律よりも上位の、日本人が守るべき最高の価値規範ではないかと私は思います。そういうものはアンタッチャブルとは言わないまでも、政治の都合で変えたり、外国から言われて譲ったりしていいものではありません。

日本国民の教科書は日本人が決めるのであって、日本の国家主権に属するものだという意識を、もっと政治家、特に総理には持ってもらいたいと思います。

教育勅語の徳目の再評価を

――加戸先生は教育勅語について、教育勅語そのものを復活させるのは難しいが、そこで説かれている徳目については改めて見直すべきではないか、と提案されています。

加戸　私は、教育勅語の「父母ニ孝ニ、兄弟ニ友ニ」で始まる、言うなれば愛の気持ち、尊敬の気持ちというものが、今の日本人に一番欠けていると思っています。

アメリカは、一九八一年にレーガン大統領が就任した翌々年、「nation at risk」（危機に立つ国家）と言って、教育改革に取り組みました。その中で、道徳教育を立て直すために、ベネット教育長官が十項目の徳目を掲げた「道徳教本」を作ったのですが、それが教育勅語にある徳目ばかりなのです。アメリカは日本の教育勅語を見習ったのに、日本は捨ててしまった、というのは実にもったいない話だと思います。

――道徳教育も、具体的な徳目として表していくことが大切なのですね。

加戸　私たちが子供の頃には、いろはかるたの「人のふり見て我がふり直せ」といった言葉で教訓を身につけていました。人間には覚えやすい言葉と覚えにくい言葉、胸に響く言葉と響かない言葉があります。親孝行にしても、「お父さんお母さんを大切にしましょう」などと言われるよりも、「父母ニ孝ニ」の方が、短い言葉でいつまでも心に残ります。簡にして要を得た言葉というものが必要なのです。

最近、海軍兵学校の「五省《ごせい》」が見直されていると聞きますが、あれも「至誠に悖《もと》るなかりしか」「言行に恥づるなかりしか」といった簡にして要を得た言葉です。日本は短詩系文学と言われ、俳句や和歌といった短い表現の中に思想を込めてきました。雨が降って傘がない時に、戦前の人なら「春雨じゃ、濡れて参ろう」という月形半平太の言葉を誰でも知っていて、そういう短い素晴らしい日本語の表現によって、日本の精神性が受け継がれてきました。

教育勅語も、「父母ニ孝ニ、兄弟ニ友ニ、夫婦相和シ」というように非常にリズムがよいし、すぐに覚えられます。西洋のキリスト教国において、イエス・キリストの言葉が倫理規範になっているように、教育勅語は日本人の倫理規範になり得るものだと思います。

2 「近隣諸国条項」削除より検定を機能させよ

令和二年四月『月刊正論』

私は愛媛県知事（平成十一年一月二十八日～二十二年十一月三十日）として育鵬社（当時は扶桑社）の歴史教科書には真剣に向き合いました。その理由はひとえに自分が文部省、それも初等中等教育局の地方課（現在の初中教育企画課）に在職した時の経験が大きいからだと考えています。私が在職中の昭和五十七年、教科書検定をめぐって「教科書誤報事件」が起こりました。教科書検定が批判に晒《さら》され、近隣諸国への必要な配慮を定めた「近隣諸国条項」が教科書検定基準に設けられるという出来事も忘れられません。ですが、何よりもその後の私を方向づけたのは地方課にいたころの経験だった、といっていい。そのくらい地方課で過ごした日々は私にとって大きなものでした。

私の地方課勤務は入省四年目からの係員、係長、課長補佐、課長と役職ごとにありました。局長も加えると、とびとびですが、通算で十四年間の長期にわたって地方課の仕事に携わったことになります。地方課は、全国の教育公務員制度と教育委員会制度を所管しますが、一般には日本教職員組合（日教組）対策のとりまとめ役として理解されています。

当時の日教組は、勤務評定や教員人事、主任制度、カリキュラムなど学校の細部に至るまで様々な反対闘争を手掛け、学校教育に大きな影響を与える存在でした。教科書にしても日教組の目に適った教科書でなければ、採用されることはまず期待できない。そんな時代でした。

歴史教科書にしても教科書会社は日教組に迎合するかのように、教科書記述を「左旋回」させていきます。マルクスレーニン主義にかぶれたかのように階級闘争的な歴史記述が散りばめられていきました。教科書検定の担当は教科書課でしたが、日教組が学校教育にもたらした様々な悪影響などには地方課が対処していたのです。

自民党部会での叱責

地方課に勤務した時間のうち、私にとって特に印象的だったのは地方課長としての日々でした。地方課長という立場になると、自民党内で開催される各種会合に頻繁に顔を出し、私たちの施策に理解を得るため説明に明け暮れます。当時は、そうした会合のなかに労働問題調査会と呼ばれる会議がありました。ここで地方課長は自民党の文教関係の議員から日教組問題について説明を迫られ、追及を受け、毎回のように叱責を浴びます。

「文部省の日教組対策はなっていないのではないのか?」

「なぜ、教師のストライキを止められないのか？　処分をもっと厳しくしなければダメじゃないか！」

「今の教科書は何なんだ！　日教組の主張ばかりが書かれてあるじゃないか！」

追及の矛先は決まって地方課長と教科書課長に向けられます。

「一体、どうなっているのだ！」

議員の皆さんは実に熱心に、学校教育の実情を憂えてくださいます。ただ、それが叱責を浴びる私にとっては「針のむしろ」のような時間であることは言うまでもありません。教科書が話題になると、私への追及はいったん止んで、代わって隣の教科書課長が「炎上」します。私はそれを「可哀そうだなあ」といたたまれない思いで見守るのですが、実際、当時の教科書記述はひどかった。自虐的な問題記述があふれ、「こういう教科書をなんとかしなければいけない」、そう切歯扼腕《やくわん》しながら過ごすわけです。

その思い出は知事になってからも私の根底に刻まれています。知事になって教科書採択にも一際強い思いを込めて臨んだのも、そうした日々があったからこそだったように思えるのです。

濡れ衣を晴らせぬ無念

地方課長を「卒業」した私は、主にメディア対応を任務にする官房総務課長になりました。ここで先ほど述べた昭和五十七年の「教科書誤報事件」に見舞われます。発端は六月二十六日、文部省が教科書検定で高校の歴史教科書において中国華北地域への「侵略」を「進出」と書き換えさせた——とするニュースが一斉に報じられたことでした。ですが実際には、報じられたような文部省が「侵略」を「進出」に書き換えさせた事実などありませんでした。濡れ衣であり、かつ完全な誤報でした。メディア対応をしていた私は一生懸命、マスコミに繰り返し、そのことを訴えて善処を求めました。

「こんな誤報を流してあなた方は恥ずかしくないんですか！」と迫ったこともありました。ですが、記者の皆さんは口を拭《ぬぐ》って正そうとはしませんでした。

なぜでしょう。教科書検定の取材は一度に実にたくさんの教科書を相手にしなければなりません。とても記者が限られた期間内に一人ですべての教科書を点検することなどできない分量なのです。そこで当時から文部省記者クラブにいる所属記者が担当を分担して点検し、点検結果を報告してそれを報じる――という仕組みをつくって取材・報道していたのです。

この時、日本史を担当していたのは日本テレビの記者でした。ところが、彼が思い込みで誤った報告をしてしまいます。他社は自分で調べることなく、彼の報告を聞いて「これは凄い話だ！」と飛びついて記事にしてしまった。それで全社が一斉に誤った内容を報じてしまったのです。

そういうやり方だと間違えたときが実に厄介《やっかい》です。さすがに「日本テレビが間違えたので私も間違えました」とは言えないわけです。いくら訂正を迫られ、誤報だと頭では理解できても引っ込みがつかなくなってしまっていますから、なかなか訂正などに踏み切れないのです。

収まらぬ火の手

しかし、報道の影響はすごいものでした。すぐに国会は大騒ぎになって私たちは説明に奔走させられました。「報道にあるような中国華北地域について文部省が、『侵略』を『進出』に書き換えさせた例などなかった」。私たちはそう何度も何度も同じ説明を繰り返しましたが、メディアの方々は、誰もきちんと報じてはくれません。

そんななか、「なんとかしましょう」と言って、会社に相談し、訂正記事を決断した社がありました。産経新聞でした。これで報道された内容が間違いだったことは何とか世の中に明らかになりました。その後、毎日新聞や朝日新聞も産経から遅れて、「報じられたような事実はなかった」と紙面に掲載しました。ですが、扱いはとても小さなもので言い訳に終始した内容でした。到底、謝罪、訂正といえるようなものではありませんでした。

中国や韓国は態度を硬化させ、もはや収まらなくなっています。怒りは高まる一方で混乱がどんどん広がっていきました。中国は「侵略を進出に直すとは何事か」と怒り、いわゆる「南京大虐殺」の被害者三十万人について、「根拠がないから人数は書くな」とした検定意見の二点を問題視し、外務省側に抗議してきました。すると、韓国も抗議してきました。華北における話ですから、韓国は本来、埒外《らちがい》の話で、明らかに便乗としか思えませんでした。それでも政府は担当の局長を中国大使館と韓国大使館に直接出向かせ説明、理解を求めましたが、火の手は一向に収まりませんでした。

「最後の花道」へのこだわり

外交問題と化した「教科書誤報事件」がまだ燃え盛っていた八月、外務省の情報文化局長と文部省の学術国際局長に中国の感触を探るべく訪中させたことがありました。両者とも教科書を直接担当する部局ではありませんが、どちらも担当部局と密接な活動をしていましたので「様子を探って来てほしい。できれば納得させて来てほしい」と派遣したのです。ですが、彼らはけんもほろろに追い返されてしまいます。「中国はとてもきつくて駄目です」。そんな報告でした。

次に自民党の文教族を代表する三塚博、森喜朗の両氏が二人で韓国を訪問しました。二人は韓国で与党国会議員に会いますが、やはりこちらも「怒りが燃えさかっていてきつい。なんとかしないとまずい。向こうは是正をしきりに求めているぞ」という感じでした。

そうした文脈で「是正」という言葉が浮上してきたのです。当時、外務省はすごく力を持っていました。というのも当時の政治状況では、鈴木善幸総理の退陣が内定していた。後任の総理には中曽根康弘氏の名前が挙がっており、バトンタッチが周知の事実のごとく伝えられていた時期だったのです。

そして鈴木総理の「最後の花道」とばかりに訪中が九月二十六日に控えていたのです。そこに向けた段取りもすでに整えられており、それまでに事態を収拾しなければ、総理の訪中自体がつぶれてしまう。そういう危機感が外務省にはあったのです。

もうひとつ。当時の文部大臣は小川平二氏でした。小川氏は日本の教科書に外国が口出しすることなど内政干渉にほかならず、許されない、という立場で臨んでくれました。文部省を当時の槙枝元文・日教組委員長が訪れ、中国の主張に沿って教科書を修正するよう求めた際も、全く大臣はこれを受け入れませんでした。

高まる是正への機運

大臣はふだんから私をとても可愛がってくださり、何かあるたびに「加戸君、加戸君」と声を掛けてくださる関係でした。小川氏の弟さんは小川平四郎という元中国大使で、小川氏自身も大変な中国ファンでしたが、教科書記述について外国が要求して書き換えることなど内政干渉にほかならず、許されないという一線は、譲りませんでした。

ただ、中国ファンだった小川氏には大臣就任後、中国側からの招待で訪中話が具体的に進んでいました。これは全くの偶然で、予定では八月に訪中するはずでした。ところが、「教科書誤報事件」が勃発して外交問題に発展してしまったからでしょう、とても訪中どころではなくなってしまいました。

実はこの訪中話、大臣にキャンセルするよう進言したのは私でした。「私が断りに行きます」と言って中国大使館を訪ね、「せっかくのご招待ですが、このような状況になりましたので、キャンセルさせてください」と伝えました。新聞報道では、中国側が訪中を断ってきた、という形で報じられていますが、実際にはこちらが辞退した話でした。

また、小川大臣は、省内で時折、「宮澤喜一官房長官が『教科書をなんとかしろ』としつこいんだよね」とこぼすことがありました。実はこれまた偶然だったのですが、宮澤官房長官と小川氏は甥、叔父の関係だったのです。このとき私は「大臣！　これは国家主権の問題です。完全な内政問題だと言って突っぱねてください！」と進言しました。

文部省の省内は教科書を直すことなど絶対反対という線で結束していました。ですが、外務省からはとにかく格好を付けなければダメだ、という声が日に日に強まっていました。「是正」という言葉が出てくると「それでいきましょう」と前のめりでした。断固反対の文部省に外務省からは「それなら来年の検定で是正するのはどうですか」と提案してきます。もう官邸も「是正でまとめようか」という空気に傾いています。ついに文部省も折れ、本来四年後に行われる検定を二年後に繰り上げて行う――という話で折り合ったのです。

宮澤談話に怒り心頭

ですが八月二十六日に官房長官談話が発表されたときは、私は怒りに震えました。

「今日、韓国、中国などより、わが国教科書の記述について批判が寄せられている。わが国としては、アジアの近隣諸国との友好、親善を進める上でこれらの批判に十分に耳を傾け、政府の責任において是正する」

「このため、今後の教科書検定に際しては、教科用図書検定調査審議会の議を経て検定基準を改め、前記の趣旨が十分実現するよう配慮する」

国家の主権を譲り渡したかのごとき談話で、これが「近隣諸国条項」を設ける根拠となりました。外国の言い分で教科書を直すようなことが現実にあっていいのか、日本の学校教育を外国人に委ねてしまっていいのか、とやり切れない思いがこみ上げてきました。省内も沈痛な空気に包まれ、お通夜のようにシュンと静まり返ってしまいました。

鈴木総理は九月二十六日、訪中します。当時の中国は趙紫陽氏が総書記になる前でした。鈴木総理は趙氏に謝罪し、教科書を是正する意向を伝えました。その際、「近隣諸国条項」という名称は使いませんでしたが、ここで是正を約束し、それが訪中の「土産」となって、中国は矛を収めました。

そして十一月、教科用図書検定調査審議会が、教科書検定基準に「近隣のアジア諸国との間の近現代の歴史的事象の扱いに国際理解と国際協調の見地から必要な配慮がされていること」と求める条項を加えるよう求める答申を出しました。そして文部大臣は二年後の検定からこの基準を適用することを決めました。

「近隣諸国条項」が教科書を悪くした

ところで「近隣諸国条項」について「けしからん」という風当たりは実に根強くありますが、私は出来上がった条文について皆さんとは少し異なる考えを持っています。

それは「近隣諸国条項」を実際の条文で見ると、それなりに工夫がされているからです。「近隣のアジア諸国との間の近現代の歴史的事象の扱いに国際理解と国際協調の見地から必要な配慮」を求めてはおりますが、ここでいう近隣諸国がどこか、という肝心の点はどこにも書かれていないのです。これは必ずしも中国や韓国だけを指すものではありません。インド、フィリピンといった様々な国に等しく必要な配慮を求める当たり障りのない規定で、高邁で崇高な条文になっている。中国や韓国の主張を唯々諾々と教科書記述に反映することに道を開くような条文には決してなっていないのです。そのことを文部省に在職した者として強調したいと思っています。

ですが、この「近隣諸国条項」が、教科書記述をますます悪くしたことは確かです。これは教科書執筆者や教科書会社側が「近隣諸国条項」が設けられたことで、「ここまで書いても文部省は記述を改めるように求める検定意見をつけることなどないだろう」とバイアスのある記述を増やし平気で申請するようになったからだと思います。

平成七年に中学校の全歴史教科書に一斉に「従軍慰安婦」に関する記述が登場しました。南京事件をめぐる記述も、被害者の数を平気で盛り込んでくるのもそうで、これらは「近隣諸国条項」による弊害と言っていいでしょう。文部省が検定意見をつけたら、それは「近隣諸国条項」に反するじゃないか、と批判できる。そう高を括《くく》って、図に乗っていくわけです。逆に文部省も、そうした記述に正面から検定意見をつけたら、批判を浴びるんじゃないかと、二の足を踏んでしまいがちになり、悪しき教科書記述が、野放しに近い状態になっていった面は否めません。「近隣諸国条項」が招いた弊害は、こうした点にあると思っています。ですから、私は「近隣諸国条項」はなくすことが理想だと思っています。

地球規模で日本史を見る「歴史総合」という科目も高校で始まりました。地球規模で日本の歴史事象を見て、それを当時の国際関係と照らし合わせながら歴史を捉えていく科目ですから、そこには当然、今まで以上に多くの国への必要な配慮が求められることになります。「近隣諸国条項」は先ほども述べたように中国や韓国だけに配慮するような条文にはもともとなっていません。外国の干渉を招き入れる根拠条文でもありません。「歴史総合」のスタートで今後、ますます「近隣諸国」だけを念頭に入れた配慮は相対化されていくでしょう。ただ、「近隣諸国条項をなくす」となると、中国や韓国が反発するのは必至です。ハードルが高い話で、寝た子を起こす覚悟がどうしても必要になると思います。

それよりも重要なことは教科書検定をきちんと機能させることだと思っています。教科書検定を正しく行う。これが決定的に大切です。「従軍慰安婦」にせよ「南京虐殺三十万人説」のような話が申請されたら証拠を出すように求めていく。「記述の根拠を示せ」と言って教科書記述を学習指導要領に沿って正していくことが教科書検定のあるべき姿だと思います。最近の教科書検定は、間違った記述に対し正せ、ということはできますが、「このように書きなさい」とは言えなくなりました。ですが、学習指導要領が本当に良くなりましたから、指導要領に適うべく教科書検定を続けていれば、教科書は必ず良くなる。それは「近隣諸国条項」とは関係なく実現できると思っています。

3　憲法改正の志を語る

平成二十七年五月『愛媛ジャーナル』

連合国軍総司令部民生局がわずか八日で作成した現行憲法草案前文に違和感

――加戸さんは以前から憲法改正の必要性を主張されており、四月二十八日に設立される「美しい日本の憲法をつくる愛媛県民の会」実行委員長にも就任されます。現行憲法における根本的な問題点からお話し下さい。

加戸　私は大学の法学部で法律を学びました。最初の教養課程では、「憲法の権威」といわれた宮澤俊義先生の著、『憲法』全四巻（有斐閣）をなけなしのお金で購入し、まずは初めて憲法の全文を読みましたが、その時に強烈な違和感を覚えたのを今も鮮明に記憶しています。日本国憲法の前文には、「平和を愛する諸国民の公正と信義に信頼して、われらの安全と生存を保持しようと決意した」という一文があります。私はそれまで、「○○を信頼して」という言葉は使っても、「○○に信頼して」という言葉を使ったことはありませんでした。前文も本来は、「公正と信義を信頼して」とあるべきではないかというのが、最初の違和感でした。

さらにその後、現行憲法はポツダム宣言受託後、連合国軍総司令部の主導で作成されたこと、特に原型となる憲法草案（ＧＨＱ草案）については、ホイットニー少将以下、総司令部の民生局が「マッカーサー・ノート」の三原則を踏まえ、わずか八日間で作り上げ、日本政府に押し付けたものであることを知りました。また、これは最近分かったことですが、英文で練られた草案を翻訳したのは、二十歳代の日系アメリカ人女性だったそうです。草案の原文にある「trusting in」の和訳は、「○○を信頼する」ですが、彼女は日本語の理解が十分ではなかったのでしょう、「公正と信義に信頼して」と翻訳してしまったわけです。

東京大学の学友と（昭和28年／前列中央）

しかも、この草案は若干の修正が加えられ、憲法改正案として衆議院及び貴族院に提出されましたが、国会議員の誰一人として訂正を求めることなく、国会で可決をみています。当時の国会議員が、それを「神のご託宣」として崇めたて、一文一句たりとて触れなかった「だらしなさ」故のことだったのか、それとも敢えて奇妙な翻訳に目をつぶり、後世に「押し付け憲法」だと知らしめるためだったのか、知る由《よし》もありませんでしたが、違和感だけはぬぐい去れませんでした。

占領軍によって与えられた憲法をありがたがり、「不磨の大典」とし続けるのはいかがなものか

――国家の最高法規の条文において、日本語として正しくない文章が認められてしまうというのは、非常に残念なことです。

加戸　違和感はこれだけではありませんでした。前文には、「われらは、全世界の国民が、ひとしく恐怖と欠乏から免かれ、平和のうちに生存する権利を有することを確認する」という一文があります。

これも後から知った話ですが、アメリカのフランクリン・ルーズベルト大統領は、一九四一年（昭和十六年）、毎年恒例の一般教書演説の中で、「人類の普遍的な四つの自由」として、①言論と表現の自由、②すべての個人がそれぞれの方法で神を礼拝する自由、③欠乏からの自由、④恐怖からの自由――を訴えました。この演説は全米から熱烈な支持を得たので、その数年後、日本の新しい憲法の草案を主導した彼らの頭にも、自分たちの大統領の言葉があったことは容易に想像がつきます。

この「欠乏からの自由」は「freedom from」の和訳として日本語としては成り立ちます。しかし、同じような「free from」だからといって、「恐怖から免かれる」、「欠乏から免かれる」は、日本

語として正しいでしょうか。やはり「恐怖を免かれる」が正しいと思います。この点についても、先述した「信義に信頼して」と同様、国会が何故異論を唱えなかったのか、不思議でなりませんでした。

私が違和感を抱いてから半世紀、日本国憲法は一度も改正されることなく今日に至っています。しかし、国際法上は、戦争で勝った国が負けた国に法制度を押し付けてはならず、あくまでもその国の国民の意思によって決めることが常識となっています。日本のように占領下で占領軍に与えられた憲法をありがたがって、「不磨の大典」にする国が、世界のどこにあるでしょうか。

本来は一九五二年（昭和二十七年）四月二十八日、サンフランシスコ平和条約発効による占領の終了、即ち、日本国の独立と共に憲法改正に踏み出すべきでした。ところが、改憲反対派が第九条の「平和主義」、「戦争放棄」の条文を金科玉条のように掲げ、改憲議論は戦争への道であるかのような烙印を押したことが、改憲のタブー視につながってきました。弱冠二十歳代の日系アメリカ人が翻訳した文章を「不磨の大典」として奉ってきた日本人の精神構造とはいかがなものか、それが私の正直な思いです。

また、最初にご指摘した一文の意味合い、即ち、「国家・国民の存立・安全を、他国の公正と信義を信頼して委ねる」という考え方にも大きな問題があります。世界の多くの人は平和を願っています。しかし、国によっては、政権を握ったリーダーが愛国主義、覇権主義に基づき、他国との摩擦や衝突を起こすことはあり得る話で、現実にそうした事象は繰り返されてきました。

典型的な事例は一九四五年八月十五日、日本がポツダム宣言を受託し、降伏した二週間後から、ソ連軍が北方領土に侵攻して占領し、以来、ロシアによる実効支配が続いていることであり、現在のロシアによるクリミア半島の一方的な編入も然りです。

前文の問題は正しくない日本語表記だけではありません。世界には悪人は一人もいない、みんないい人だ——と全肯定し、自国と国民の安全を委ねるというのはいかがなものか。宗教や論理の世界で他者を信じ、共に平和の希求を謳《うた》うのは素晴らしいと思いますが、日本は現実に社会を形成し、そこでは一億人以上の国民が日々暮らしを営んでいる国家です。安全を他国任せにするような理想主義が通用しないことは、今の国際情勢が如実に物語っています。もちろん、私も戦争には絶対反対ですが、自分たちの国は自分たちの国で守る最低限の根拠は、憲法に明記すべきです。

日本国の「シンボル」である国旗・国歌の規定は堂々と胸を張って憲法への明記を

——自民党の「日本国憲法改正草案」の「第一章　天皇」の章には、天皇が元首であることの明記、国旗・国歌の規定も盛り込まれています。

加戸　国際的に共有する元首の定義があるわけではありませんが、万世一系の天皇制が今日まで続いてきた歴史を踏まえ、諸外国は外交儀礼上、天皇を日本の元首と認識しています。現行憲法にも、「天皇は、日本国の象徴であり、日本国民統合の象徴である」と明記されており、天皇が日本国の精神的支柱であり、国民の依り処となっていることは、広く国民の中に浸透しています。

国内外において、天皇が元首であるという紛れもない事実が定着している以上、「元首」を明文化するかどうかについて、私自身には強いこだわりはありません。中国でも、中華人民共和国という国家の宰相は、李克強首相ですが、その上には中国共産党のトップである習近平主席が位置し、実質的に国家を統治しています。中国にも誰が元首であるという成文規定はありませんが、世界は習主席を元首のように扱っています。

憲法改正への思いを熱弁する著者
（平成 29 年 11 月、日本会議設立 20 周年大会にて）

日本国民が礼儀正しく、いたわりの心を持った国民であることは、憲法にそう書かれていなくてもそうであるのと同様、記述があろうがなかろうが、天皇が日本国の元首であることには変わりないと考えます。

ただし、国旗・国歌については、自民党草案にある「国旗は日章旗とし、国歌は君が代とする」、「日本国民は、国旗及び国歌を尊重しなければならない」の明文化には大賛成です。

戦後長年にわたり、野党革新勢力は一貫して、自衛隊を違憲として否定する一方、教育の分野において日教組（日本教職員組合）は、国旗を引きずり下ろしたり、国歌斉唱を阻止したりと、恥ずべき行動を繰り返してきましたが、この背景の一つには、自衛隊や国旗・国歌に関する明確な法的位置付けを欠いていたことがあります。

その後、一歩前進で「国旗及び国歌に関する法律」が制定されたわけですが、国旗・国歌は日本国を象徴する「シンボル」なので、堂々と胸を張って憲法に明記すべきだと考えます。かつては、「国旗・国歌の下で戦争が行われた。だから国旗・国歌は戦争につながる」が左翼勢力の主張で、一部マスコミもそれに同調していました。しかし、もはやほとんどの国民は、そんな幻想に惑わされませんし、明文化の機は熟していると思います。

憲法に規定されれば、国旗掲揚、国歌斉唱を巡る教育現場の混乱の抑止につながる

――加戸さんは文部省（現文部科学省）ご出身だけに、この問題ではいろんな原体験があるのではないですか。

加戸　文部省の局長時代、私は教職員の初任者研修制度を導入し、その一環で洋上研修を採り入れました。北回り航路に四百人、南回り航路に四百人、合計八百人の新規採用の教職員が十日間、洋上で様々な研修を行うもので、私も当初は自ら船に乗り込みました。

ところが、一九八七年の国会だったと記憶していますが、野党議員から吊るし上げに遭い、「洋上研修で朝、日の丸を掲揚したのは何故か？」、「その法的根拠はどこにあるのか？」と激しい口調で質問を投げ掛けられました。私は答弁席に立つと、「日本国の文部省が実施する研修なので、

日の丸を掲揚するのは当然のことであります」と語調鋭く切り返しました。

今から三十年ほど前のことですが、「日の丸掲揚はけしからん」などと、先進諸国では信じがたいような質問が、国会の場において堂々となされたことは、実に恥ずかしい話です。また、そうした質問には辟易していたからだったのかもしれませんが、自民党の議員席からは質問者への野次の一つも出なかったことには、少々情ない思いをしました。

私の文部省時代には、学校の入学式や卒業式などで、日教組の組合員教師が国旗掲揚や国歌斉唱などを巡り、学校側と頻繁にトラブルを起こしていました。

なかでも忘れられないのは、一九六九年（昭和四十四年）、本土復帰前の沖縄の教職員研修の講師として一週間、現地に滞在し、教職員の人たちと親しく交流した時のことです。当時の沖縄教職員会の皆さんは、日の丸を揚げさせてほしいと何度も米軍側に懇願し、ようやく一定の日にだけ例外的に認められるという状況下、一日も早く本土復帰を果たし、気がねなく国旗掲揚できるようになりたいと、熱を込めて話しておられたのがとても印象的でした。

ところが、その三年後、沖縄返還が実現し、沖縄教職員会は日教組に加盟するやいなや、国旗掲揚反対に転じました。日教組が反対意思の統一を図ったからでしょうが、あれだけ国旗掲揚を待ち望んでいたにもかかわらず、組織が変われば、たった三年で一八〇度転向してしまうのかと、悲しさと怒り半分、複雑な気持ちにさせられました。混乱が起こると、一番辛い思いをするのは子どもたちとその保護者、良識ある教職員だけに、国旗・国歌の規定は是非とも実現を望みます。

憲法上の法的根拠の明確化が自衛隊の意見解釈にピリオドを打つことになる

――「自衛権」が明文化されておらず、自衛隊の存在、活動にも憲法上の法的根拠が不明確という点については。

加戸　これも日教組の話になりますが、日教組は毎年、大規模な教研集会を開き、全国から何千人もの組合員が集まります。ここでは各地の教育現場の活動実践報告が行われますが、先述の沖縄返還後には、自衛隊が沖縄に駐在するようになったことを受け、日教組による自衛隊を憲法違反として否定する主張のボルテージも上がっていきました。

そんな状況を象徴するかのように、活動実践報告においても、人権侵害甚だしい事例が誇らしげに幾つも紹介されました。例えば、自衛隊が違憲であることを子どもたちに教え込むため、父が自衛隊の子どもに対して、あなたのお父さんの職業は憲法に違反している、自衛隊に入隊するのは恥ずべきことだ――と指摘する授業を行ったことなどの事例があります。私は当時、文部省で日教組担当をしていたので、こうした報告を受ける度に唖然とさせられました。平和を愛好するという日教組が主義主張のためとはいえ、教育現場において、教え子である自衛官の子弟を目の前で憲法違反と批判し、人権を踏みにじっていいのか、怒りがこみ上げるのを抑えることができませんでした。

似たような話では、実は我が家も「被害者」になりました。日教組は文部省のやること、なすことが気に入らなかったのでしょうね。ある日、私の娘が学校で先生からいやな思いをさせられたと帰ってきました。話を聞いてみると、授業中に文部省は悪いところだと言われたそうで、娘からは「お父さんはなんで文部省なんかに勤めたのか」と涙ながらに言われ、心痛めたことを思い出します。

自衛隊や文部省は「敵」だから、敵の子弟もまた「敵」である。そんな偏狭で歪んだ発想、価値観で施された教育が、子どもたちを傷つけるとともに、どれほど社会に弊害をもたらしてきたか。実際、世論調査では少し前まで、自衛隊に好感を持ち、肯定的に受け止める国民はむしろ少数派でした。東日本大震災での危険を顧みない献身的な活動により、今では九割以上の国民が自衛隊に好感を持ち、存在を支持していますが、自衛官とその家族には長きにわたり、辛い思いをしてきた人が沢山いたということを是非知って頂きたいと思います。

日本は幸い、他国の侵攻を受け、国民の生命や財産が脅かされるような有事に遭遇していませんが、自衛隊はそうした事態に備えて毎日訓練を行いながら、大規模な災害や事故に際しては、他の組織に代替できない能力、装備をもって人命救助や被災地復旧などに尽力してくれています。その災害対応能力やＰＫＯ派遣などの実績が海外から高く評価されている自衛隊の違憲解釈にピリオドを打ち、自衛官には誇りを持って日々活動してもらうためにも、憲法における法的根拠の明確化は絶対に必要であると考えます。

緊急事態の被害を最小限にとどめるためには、国や自治体に強制力行使の法的裏付けが必要

——関連して、大規模災害等の緊急事態対処規定の創設についてはいかがですか。

加戸　近年制定された成文憲法のほとんどには、緊急事態対処規定が明文化されています。自民党の草案でも、「内閣総理大臣は、外部からの武力攻撃、内乱等の社会秩序の混乱、大規模な自然災害等が発生したときは、閣議にかけて、緊急事態の宣言を発することができる」、「内閣は緊急政令を制定し、内閣総理大臣は緊急の財政支出を行い、地方自治体の長に対して指示できる」、「緊急事態の宣言が発せられた場合には、国民は、国や地方自治体等が発する国民を保護するための指示に従わなければならない」などの文言が盛り込まれています。いずれも極めて重要な規定であり、特に災害はいつ起こっても不思議ではないだけに、憲法改正では最も急がれる項目の一つです。

私の知事在職中、県内では幸い国が想定する緊急事態宣言に該当するような大規模災害等はありませんでした。しかし、東予地方を襲った台風被害等での対応、あるいは、大規模災害に備えた防災計画の策定や市町村等との防災訓練などに際しては、緊急事態に一定の強制力を持って対処し、人命等の被害を最小限にとどめるための法的裏付けの必要性を感じてきました。

現在、行政や各種団体、流通及び運輸、建設関係等の事業者の間では、防災・減災、安全・安心のための様々な協力協定が結ばれています。こうした官民協働した備えの構築は非常に大切で

はありますが、あくまでも協力を要請する、要請にできるだけ応えましょうという「紳士協定」なので、「これは」という分野においては、ある程度の強制力を有する法制度、仕組みが必要になってきます。

例えば、東日本大震災に準ずるような災害発生時、一刻を争う人命救助はもちろん、救援部隊の活動や被災者の安全確保のためには、避難誘導や救援の人員及び物資の輸送、交通規制、立入制限などで迅速かつ集中的な強権発動が求められる場合があります。また、建設重機は、倒壊した建物からの被災者の救出には不可欠ですが、保有する事業者が限られています。より多くの人命救助に活用するため、機材の投入地域を調整するような場面においては、あれこれ議論している時間はなく、即断即決、即行するための権限が、国や自治体に付与される必要があります。

教育再生実行会議としても、国民負担の軽減、教育への公財政支出の拡充を求める

――その他、憲法改正で特に強調されたいことはありますか。

加戸　文部省出身の立場からいえば、自民党草案に「教育環境権」として、「国は、教育が国の未来を切り拓く上で欠くことのできないものであることに鑑み、教育環境の整備に努めなければならない」の一項が盛り込まれていることを高く評価します。

私は安倍内閣の諮問機関である教育再生実行会議の一員として、これまでに六次にわたる提言を行ってきました。「今後の学制等のあり方」では、「日本の現状は、高齢者世代に比べて、子ども・若者世代への公的な支出が圧倒的に少ない。特に、私学の多い就学前教育と高等教育段階に

おける公財政負担や一人ひとりの状況に応じた修学支援等が十分でなく、これらの充実が求められる」、「家庭の経済状況や発達の状況などにかかわらず、意欲と能力のあるすべての子ども・若者、社会人に質の高い教育機会を確保していくことが不可欠であり、世代を超えて総がかりで教育を支える社会の実現を目指すべき」などと指摘。幼児教育の無償化の推進や五歳児教育の義務教育化、複数の学校種で指導可能な教科ごとの教員免許状の創設などを提言しました。

また、先般の第六次提言においては、「一旦就職した人や家庭にいる人も、生涯に何度でも教育の場に戻って学び中心の期間を持ち、生きがいのための学びを追求することはもとより、知的・人的ネットワークを作り、学びの成果を社会に還元し、再び新たなステージで活躍するという人生サイクルを実現していくことが不可欠」としています。

私は幼児教育から高等教育まで、さらには社会人になってからの学び直し教育に至るまで、すべての教育を国の責任において「オール無償」とすべきだと考えています。教育の無償化を拡大していくには、確かに相当の財政負担を要します。これまでの国の予算編成においては、教育費の拡充は二の次とされ、むしろ財政健全化による予算の見直し、削減では、まず目がいくのが教育関連費でした。

ただし、田中角栄内閣は一九七四年（昭和四十九年）、人材確保法を制定し、教職員給与を六年間で二十％（本給十二％、義務教育等教員特別手当八％）引き上げました。これはその後、行革の中で骨抜きにされていきますが、当時の田中総理の鶴の一声で実現した特筆すべき英断でした。

日本では消費税の税率が五％から八％に引き上げられるだけで大騒ぎとなり、十％への再増税の時期が延期されました。しかし、スウェーデンやデンマーク、ノルウェーの消費税率は原則二十五％と極めて税負担が重い一方、社会保障制度が充実し、教育費も基本的に大学まで無料となっています。北欧諸国の国民が消費税率を高いと思っていないのは、その分、国が医療や介護、子育て支援といった社会保障と教育に責任を負い、無償でサービスを提供しているからです。

日本も同じような負担と給付のシステムにするかどうかは、国民的議論が必要と思いますが、個人的には、税負担を少々重くしても、すべての教育を無償化していくべきだと考えています。自民党草案にある「教育環境権」の創設が憲法改正で実現し、教育無償化への一里塚となることを期待しています。

衆参両院の改憲発議の要件を緩和し、国民の意思表明、選択の機会に道を開くべき

――それはまさに加戸さんの長年の悲願ですね。

加戸　そのためにも、私が求めたいのが憲法改正の発議要件の緩和です。現在は衆参両院の議員の三分の二以上の賛成がなければ、憲法改正を国民に提案することさえできず、これが極めて高いハードルになっています。

国政史を振り返るならば、路線対立から右派と左派に分裂した当時の社会党は一九五五年（昭和三十年）、「護憲」と「安保反対」を旗印に再統一されました。これに危機感を持った保守陣営では、鳩山一郎率いる日本民主党と吉田茂を中心とする自由党が保守合同し、現在の自由民主党を結党しました。これによって保守・改憲の自民党と革新・護憲の社会党の二大政党による「五十五年

体制」が誕生したわけです。

そして、二大政党が激突した一九五八年（昭和三十三年）の総選挙は、憲法改正を党是とする自民党が三分の二以上の勢力を確保するかどうか、即ち、憲法改正に道が開けるかどうかが、最大の争点となりました。一部マスコミが大々的な改憲反対キャンペーンを張る中、自民党は勝利したものの、社会党も三十三％の議席を獲得し、改憲勢力による三分の二以上確保には至りませんでした。以来、「五十五年体制」が「政権交代と憲法改正のない体制」といわれてきたのは、この三分の二の厚い壁が立ち塞がったからです。その後、「五十五年体制」が崩壊すると「連立政権の時代」へと突入し、憲法改正はますます遠ざかっていき、自民党結党から六十年が経過してしまいました。

現在の自公連立政権は、衆議院で三分の二以上の議席を保持し、来夏の参院選で三分の二以上の議席獲得を目指しています。しかし、改憲勢力が衆参両院で三分の二以上を確保するのは容易ではありません。憲法改正は最終的に国民投票に付され、過半数の賛成を要する、換言するならば、主権者たる国民が最終判断をします。何も国会議員の賛否数で決まるわけではないので、国民に提案することでさえ衆参両院三分の二以上というのは、あまりにハードルが高すぎると思います。発議要件を緩和すべきで、自民党草案にある「過半数」は急変すぎるというならば、せめて六十％以上にするなどし、国民が憲法改正の選択機会を得やすいようにすることが必要です。

また、「憲法改正国民投票法」が昨年六月に施行され、二〇一八年六月以降の国民投票においては、投票権年齢が満二十歳以上から満十八歳以上に引き下げられます。これを受けて、選挙権年齢も満十八歳以上に引き下げる公選法改正案が今国会に提出されており、成立は確実とみられています。

満十八歳以上に選挙権を付与する、つまり、責任ある成人としての判断能力を十八〜十九歳にも認めるならば、現在は二十歳未満に制限をかけている各種の法制度、例えば、未成年者飲酒禁止法や未成年者喫煙禁止法、民事訴訟法などの「未成年者」の定義も十八歳未満にしなければ、全体としてのバランス、整合性が取れません。

今の若者の精神発達度は、現行法が制定された頃より二〜三歳は進んでいます。昨今の未成年者による残忍な犯罪に照らし合わせても、原則として未成年者には成人同様の刑事処分を下すのではなく、家庭裁判所による保護更生のための処置を下す――と規定した少年法も、さらなる改正が必要と考えます。成人年齢は国によって異なりますが、データのある約一九〇か国・地域のうち、約七十五％は成人年齢を十八歳（一部は十六歳や十七歳も）としており、国際的には十八歳が標準となっています。

いろいろ申し上げましたが、安倍総理は憲法改正に強い意欲を示しており、自民党結党六十年の節目となる今年（平成二十七年）は、まさに封印されてきた改憲の扉をこじ開けるまたとないチャンスです。冷静かつ正視眼の国民的議論を高めながら、早ければ来年中までの国民投票実施に向け、憲法改正に大きく踏み出すことを期待しています。

第2節　「国旗・国歌問題」「加計学園問題」

1　「日の丸・君が代」について

平成二十三年六月『愛媛ジャーナル』

愛媛県では、県庁本館の屋上に国旗を掲揚し、県功労賞の授賞式を始め、公式主催行事には国旗及び県旗を掲げ、国歌を斉唱することを常例としている。公立学校の入学式・卒業式等の行事においても、国旗・校旗の掲揚と国歌斉唱が混乱なく行われている。

かくいう筆者も、昭和五十六年、旧文部省官房総務課長就任時に個室の執務室をあてがわれて以来、必ず国旗を部屋に飾って日々国に対する忠誠心を忘れず、国民に果たすべき責務を自覚することを旨としてきた。その意味では、国旗・県旗とともに執務した愛媛県知事を退任するまでの三十年間、日の丸とともに仕事をしてきたことになる。

しかし、全国的に終戦後から現在に至るまでの状況を振り返って見るとどうか。悲しいことに、イデオロギー的であれ、あるいは感情的にであれ、これほどまでに国旗・国歌が貶められ、非難され、軽視され、無視されてきた国は、全世界で日本以外にはなかったであろう。

戦前に「日の丸」や「君が代」が果たしてきた役割の好ましからざる部分を極端に歪曲・拡張

した「反戦平和」のキャンペーンが、国旗・国歌に対する反感あるいは無関心という風潮や時代の流れを形成してきたと言える。

そこで本稿では、かつて筆者が奉職した文部省時代に得た知見を基に、国際比較の視点を含めた所感を述べ、賢明なる愛媛県民の充分なる理解を求めたいと思う。

まず、「日の丸」及び「君が代」が我が国の国旗・国歌として定着するに至るまでの経緯や沿革は、諸外国における国旗・国歌のそれらに比べると、その発生態様や発生時期、定着時期、制定動機、制定時期において、かなりの違いがある。

国旗の場合、比較的早く出来たものをみると、十五世紀から十七世紀前半にかけてのいわゆる大航海時代、船の国籍を示すものとして掲げられた船首旗が、実質的に国旗に転化していったものが多い。例えば、イングランド・スコットランド・アイルランド三国の船首旗を合成したユニオンジャックが、英国（イングランド・スコットランド・ウェールズからなるグレートブリテンと北アイルランドの連合王国）の国旗として用いられたようにである。

「日の丸」の沿革を辿ると、古来からの「赤丸」が、太陽を万物の恵みの基とする大和民族の象徴的存在であったことに由来する。平家物語に記されている那須与一が射た扇の的が有名であるが、戦国時代の上杉等の武将の旗印にも用いられた。そして、中世の八幡船や近世初期までの御朱印船に掲げられていた日章旗をベースとして、ペリー来航の翌年、外国船と区別するため必要に迫られ、徳川幕府が日本国総船印に制定したことに始まる。

その点において、近代国家の成立とともに、その表徴として人為的に制定された国旗、例えば、「フランス革命時にパリの紋章である赤青の二色にブルボン王朝の白を組み合わせた三色旗」や、「アメリカ独立時の十三州を示す赤白の横縞と青地に浮かぶ現在の五十州を示す白星とからなる星条旗」などとは、異なる生い立ちを持っている。

国歌の場合、歌詞と楽譜の二つの要素に分けられる。「君が代」の歌詞自体は、元歌の「わが君は千世にやちよに……」が、千百年前の古今和歌集（九一三年）の賀歌《がのうた》の巻の第一首（詠み人しらず）に掲載されている。その後、百年下って和漢朗詠集（一〇一三年）に現歌「君が代は千代に八千代に……」が元歌の冒頭部分を一部変更して転載されて以来、他国に類例のない長い間の歴史を持っている。

楽譜は、国家的行事・儀式用の必要性を感じて明治二年、英国の軍楽隊長フェントンに作曲してもらった。しかし、これが不評を買い、その十一年後に、宮内省伶人長の林広守撰譜の曲（実際の作曲は「天長節」、「勇敢なる水兵」等の曲で知られる伶人奥好義）を採択し、明治二十六年文部省が小学校の祝祭日の儀式用唱歌として告示したという経緯がある。独立達成後、詩聖タゴールの詩に曲を付けたインド国歌の例はこれに似ている。

逆に、既存の曲に歌詞が付けられたものとしては、ハイドン作曲の弦楽四重奏曲「皇帝」に「世界に冠たるドイツ」（戦後は第三節の「統一、公正、自由を」のみを歌う）の歌詞を付したドイツ国歌や、民謡に歌詞を付けたケニア国歌がある。しかし、フランス革命時に出来たフランス国歌「ラ・マルセイエーズ」のように、作詞・作曲が同時に行われた例が多い諸外国と比較すると珍しいケースであろう。

ちなみに、「ラ・マルセイエーズ」といえば、「敵の不潔な汚れた血で田畑を真っ赤にしろ」という強烈な戦闘的文言がある。


もともと、国旗は、その国を代表する「しるし」として定められ、国家・国民を象徴する旗である。主に国籍の標識として用いられる場合が多いが、国家的·国際的行事及び儀式においては、国歌の斉唱・演奏を伴って掲揚される。

また、国歌は、国家的・国際的行事及び儀式に際し、国家・国民を象徴するものとして演奏される歌曲で、国旗の掲揚を伴う場合、あるいは掲揚された国旗に向けて演奏されることが多い。

このように、国旗は国歌演奏とは独立して掲揚される場合が多く、国歌も国旗の存しない場所で演奏される場合もある。「日の丸・君が代」のように成り立ちが違い、お互いを相互に意識して作られたものではないことからすれば、別々のものであると考えることもできなくはない。

しかし、国旗・国歌ともに、視覚に訴えるか聴覚に訴えるかの差こそあれ、その国家・国民を象徴するものである。本来、行事・儀式においては、一体のものとして同時に掲揚・演奏されるべき性格のものであることからすれば、現在の日本国及び日本国民にとっては、「日の丸」は右手、「君が代」は左手であり、両手を合わせてこそ、その人の気持ちを一番適切に表現できると言わなければならない。

ここで、「日の丸・君が代」をめぐる論議を筆者なりに要約してみたい。戦前の日本の行為を否定する意味において、軍国主義のシンボルとして戦地で掲げられた「日の丸」に戦争反対の平和主義を唱える立場から反対し、加えて、旧憲法下で統帥権を有していた天皇を礼賛する「君が代」を国民主権及び戦後民主主義を唱える立場から反対する結果として、「日の丸・君が代」反対の声が合唱されてきたように思える。

随分古いデータで恐縮であるが、昭和六十年十月に朝日新聞社が実施した世論調査では、「日の丸」の旗は日本の国旗としてふさわしくないと思うと答えた人が四％に対し、「君が代」の歌は日本の国歌としてふさわしくないと思うと答えた人が十七％いた。また、平成二年五月に読売新聞社が実施した世論調査でも、公立学校の入学式・卒業式のとき、「日の丸」を掲げることは望ましくないと思うと答えた人が十三％、同じく「君が代」を斉唱することは望ましくないと思うと答えた人が十七％いた。こうした調査結果にも見られるように、国民世論における反対の意識には強弱、濃淡の差が存する。

もっとも、これらの過去の数字は、国民の「日の丸・君が代」に対するアレルギーの度合いの差を示すものであるが、「君が代」は、その楽譜が宮内省雅楽課（現宮内庁式部職楽部）で作成されたことからも知れるように、メロディー、リズム、テンポなどの点において、洋楽に慣れた現代的感覚ではしっくりしない感じを持つ向きもある。それが「君が代」に賛同しないパーセンテージの微増要因となっているとも考えられる。

一般的に言って、「日の丸・君が代」に対する強力な反対論は、東京裁判史観に基づく戦前における日本のいわゆる、「侵略戦争」のシンボリックな存在であった国旗・国歌を嫌悪して否定するのが本音だと思われる。このため、「日の丸」はナチス党の党旗であった「ハーケン・クロイツ」と同視すべきものであり、また、「君が代」は軍艦マーチや愛国行進曲と同視すべきものであるということになる。つまり、「日の丸・君が代」賛成は戦争礼賛、「日の丸・君が代」反対は戦争否定という構図になる。

ただし、反対論者が旗や歌の存在を嫌悪する訳ではないのは、赤旗を自分の精神的帰属意識のシンボルとして力強く振り、組合労働歌を自分の社会的帰属意識を表明するために大声で唄うところからも伺える。このことは、野球などの学校対抗スポーツ試合で校旗や応援旗を振り、校歌や応援歌を合唱するケースと似ていなくはない。

「日の丸」の赤丸は戦争で流された血を連想させるとか、「君が代」の歌詞は、八千年も人間が生きるわけがなく、「さざれ石」が「巌《いわお》」になることもありえない非科学的根拠に基づいているとかの説は、後から付けられた「為にする論」にしか過ぎない。

目を外国の事例に転じて見れば、国旗のみが変更されたケースや国歌のみが変更されたケースは、筆者の知るところ、いくつか存在している。

革命等によって国家体制が変わったときに、国旗も変更されるのが顕著な例であり、ルーマニア、ブルガリアなどの東欧諸国がそれである。ハンマーと鎌を組み合わせた赤旗のソ連邦国旗が消滅し、現在のロシア連邦国旗が誕生したことは記憶に新しい。

アメリカ合衆国のように、構成する州の数が増えるのに応じて、国旗の星の数が五十にまで増えてきたという可変的な国旗もある。

国歌では、建国以来長い間、旧宗主国の英国の国歌「ゴッド・セイヴ・ザ・クイーン（キング）」を自国の国歌としつつも、「ワルツィング・マティルダ」を事実上の国歌扱いしていた英連邦加盟のオーストラリアが、二十数年前、「アドヴァンス・オーストラリア・フェア」を国民投票で新しい国歌に採択したことは、つとに有名である。

なお、英国の国歌にも、その第二節に「女王の敵を蹴散らし、没落させ、粉砕せよ」という勇ましい文言がある。

ドイツのように、国歌そのものの変更はしないが、「ドイッチェラント・ドイチェラント・ユーバー・アレス（世界に冠たるドイツ、ドイツ）」で始まる第一節と第二節とは、外国に対し刺激的であるという理由で歌うのをやめ、第三節のみにしたという例もある。

このように、国旗あるいは国歌については、個別にそれぞれの特殊事情に基づいて変更された事例が見られる。

一方、国旗・国歌がセットで変更されたのは中国である。中華人民共和国の成立に伴い、国民党の党旗でもある中華民国の国旗「晴天白日旗」に代わって、「五紅星旗」を国旗とし、「東方紅」を国歌にしたケースのように、国名変更を伴う国家体制の変革の場合に限られている。

その意味では、「日の丸」と「君が代」とを切り離して議論することもできなくはない。この場合、「日の丸」に対する反対論と「君が代」に対する反対論の論拠が異なっていないと、ただ単に同じ議論を二度繰り返すだけの無駄手間を覚悟しなければならない。

侵略戦争のイメージが付きまとうからとか、国際平和を指向する日本国の表徴としてはふさわしくないとかいう議論であれば、国旗・国歌は、国家の過去の栄光と汚辱とを背負い、未来に向かって歩み続ける性格のものであると思うか、思わないかの議論に帰着する。

資産より債務のほうが多いから社旗や社歌を変えようとか、食中毒で世間を騒がせたから食品会社の社旗や社歌を変えようとかいうような次元の話と同レベルの議論に陥ることを恐れる。

十八世紀から十九世紀にかけて、アフリカや東南アジアを侵略し、第二次大戦後まで植民地支配を続けた英国、フランス、イタリア、スペイン、ポルトガル、オランダ、ベルギー等の諸国。これらの国でそのことを理由に国旗・国歌反対論があったとは、寡聞にして耳にしたことがない。米西戦争や米墨戦争で領土を簒奪したアメリカとて同様である。

邪推でなければよいが、反対論者の中には、「日の丸」掲揚については、どうも旗色が悪そうだから目を背け、せめて「君が代」演奏の際は口を閉ざすことでポイントを挙げようという思惑があるとも思える。ただ、「君が代」が国民主権の日本国の国歌にはふさわしくないという論については、天皇は日本国及び日本国民の統合の象徴であるとした日本国憲法第一条の規定を削除すべきであるという主張と連動しなければなるまい。

蛇足ながら、元歌所載の「わが君」の「君」は当時広く一般に相手を指して用いられた語である。

天皇を指すとは限らない例証としては、光孝天皇が臣下の僧正遍照に七十の賀を祝して賜った歌「かくしつつ　とにもかくにも　ながらへて　君がやちよに　あふよしもがな」（「君が代」と並んで古今和歌集賀歌第五首に掲載されている）がある。第三首の「わが齢　君がやちよに　とりそへて　とどめおきてば　思ひでにせよ」（詠み人しらず）や第十首の「春くれば　やどにまづさく梅に花　きみが千歳の　かざしとぞ見る」（紀貫之が本康親王の七十の賀を祝して詠んだ歌）もそうである。

国歌制定時の明治政府の意図が、「天皇の御世」の悠久を願うものであったとしても、反対論者が「君が代」を「国民の世」の永遠と国民の長寿を願うものと解して歌う内心の自由が妨げられるわけではない。

それよりもなによりも、「日の丸・君が代」のように、原型が千年以上の昔に存在し、かつ、百年以上にもわたり、日本の国旗・国歌として国民の間に愛され親しまれて定着してきたという厳然たる事実を踏まえれば、日本国民である以上、「日の丸・君が代」が日本国の国旗・国歌であるという前提に立ち、誇りを持って国旗・国歌を尊重し、敬意を表する行動を取るべきことは言を俟《ま》たない。

まして、近年に至るまで学校行事で生徒を唆《そそのか》し、国歌斉唱を妨害する一部教職員の行動が多発した東京都の事例などは、言語道断というほかない。

国旗・国歌を愛することのできない人が、国旗・国歌の象徴する日本国や日本人を愛するのは論理矛盾であるし、国を愛することなく県や市町や故郷、そして、その構成員である他人を愛することは想像できない。日本国が嫌いな人は、日本人も嫌いなんだろうと思う。

今から三十三年前の昭和五十三年に、韓国教育部の招待で教育事情視察のため韓国を訪問した時のことだ。公立学校の教育方針として、「忠孝」と題した額の掲げられているのを見て、「戦前の反省から日本では禁句のようにされているのに」と、その理由を質問したところ、「自国を愛することすらできない人が、どうして他国を愛することができましょうか、親を愛することすらできない人が、どうして他人を愛することができましょうか」との答えが返ってきた。国際試合の応援で韓国の人々が太極旗を大きく打ち振るシーンを見るたびに、そのことを想起する。

2　加計問題の「無実」全て語る
――獣医学部は愛媛県の悲願だった

平成三十年八月『月刊正論』

愛媛県知事をしておりました加戸守行です。現在、朝日新聞をはじめとする多くのメディアが加計学園による獣医学部の新設をめぐって疑惑報道に明け暮れています。私はこの問題に関わってきましたが、報道で安倍晋三首相にあらぬ濡れ衣が着せられようとする光景を見るたびに腹立たしさを覚えています。当事者として何とか真実を明らかにしたいのですが、メディアは「報道しない自由」を行使しますのでまじめに取り上げてくれません。

私は断言します。今回の加計学園の獣医学部は正当な手続きを経て新設されたものです。安倍総理の意向で行政が歪められたこともなければ、忖度《そんたく》のかけらすらなかった。むしろ友達として冷た過ぎるのではないかとさえ思えることすらあったくらいです。

新都市構想と獣医師不足

この話を正しく理解するには今治市が新都市構想を打ち出した昭和五十八年にまでさかのぼら

なければなりません。今治市は造船で栄え、愛媛県の第二の県都といわれた街です。しかし、重厚長大型の産業に翳《かげ》りが見えるなかで、将来的な街の高齢化は避けられず、街の衰退が心配されていました。そこで市の中央部から西北方向に向けて広がっている山間部を新たに開発によって二地区に分け、一地区を商業、産業都市とする産業地域として、もうひとつの地区を学園都市地域にして、企業と大学の二本立ての誘致で開発し、造船だけに頼らない、活力ある新たな街づくりをしようという話になったのです。

ところが、この構想はなかなか前に進まずに宙に浮いたままになっていました。私が平成十一年に知事に就任するまで十六年間も構想はほぼたなざらしだったのです。私が知事選出馬を決断したとき、内閣は小渕内閣で、首相にとっても内閣発足後初の知事選でした。そんな内閣の船出を占う知事選を勝利したことに小渕首相も大変喜んでくださって、「当選後も何かあったら何でも言ってください」と有り難い言葉を頂いたのでした。

そこで私は就任後、この今治市の構想の現状を相談し「助けてください」とお願いしました。小渕首相は親身に聞いてくださり、即座に電話で建設相と地域振興整備公団（現・都市再生機構）の総裁に電話で話をつけて下さいました。「ブッチホン」と呼ばれた小渕首相自らの電話攻勢の効果はてきめんで、それまで止まっていた話は一気に進みました。翌十二年には事業のゴーサインも出て土地買収も始まり工事スタートにこぎ着けることができたのです。学園都市地域の中核となる大学には地元の松山大学を誘致する方向で話が進んでいました。同大学の経営マネジメント学部をここに招き、若者が賑わう街を目指したのです。

ところが、同大学の誘致は学内合意が得られずに突然、頓挫してしまいます。商業都市、産業都市のほうは、工場が入ってイオンというスーパーが進出し、順調に進むのですが、もう一方の学園都市構想のほうは土地買収まで進みながら誘致の失敗で空き地となって再び宙に浮いてしまったのです。

一方、知事就任直後、私たちを悩ませたのは家畜伝染病対策でした。まずBSEです。イギリスで初めて特定され、日本でも平成十三年、牛海綿状脳症（BSE）が確認され大問題となるのですが、いざ骨や肉の検査が始まり突きつけられたのは獣医師が足りないという深刻な問題でした。

BSEの後は鳥インフルエンザにも見舞われました。愛媛県庁には獣医師が約百人いますが、そのたびに臨戦体制となります。実は県庁の獣医師のうち半分は食品衛生や食中毒などの公衆衛生の分野を担当していて動物に向き合っているわけではありません。世間では「獣医師＝動物や家畜の医師」とイメージしがちですが、実はそうではなく、半分は人間を相手にしているのです。ノロウイルスの問題などに獣医師が奔走していることも国民はあまりご存じないのではないかと思います。

なぜ獣医師の半分が公衆衛生を担当しているか。この分野は戦前、医師が担当していた仕事でした。ところが戦後、医師の給料が何度も引き上げられ、公務員医師の人気はすっかり下がってしまってなり手がいなくなってしまったのです。このため、大学で公衆衛生を勉強した獣医師をかき集めて何とか支えてくれているのですが、獣医師もまた慢性的な人手不足に喘《あえ》いでいるのです。

これは決して愛媛県だけの問題ではありませんが、四国は特にひどいのです。四国には獣医師を輩出してくれる大学がありません。獣医師を養成する大学はそのほとんどが関東にあって養成される獣医師数の八十二％を占めています。岐阜から西は十八％しかありません。四国以外にも中部地方や日本海側も獣医師の養成大学がない空白地域となっているわけです。

どの県も獣医師の採用、募集を地道に続けてはいますが、なかなか来てもらえずに苦労しています。何とか内定を出しても、ペット病院など給料の高いところにすぐに移ってしまうのです。ペット診療は完全な自由診療で、青天井に値段がつけられますから、給料では全く太刀打ちできないのです。

加計学園という唯一の頼み

十七年になって、ある県会議員と加計学園の事務局長がたまたまお友達だという話が舞い込んできました。私は飛びつきました。今治で宙に浮いた学園都市構想を解決できないか。そう私は期待したのです。

はじめ加計学園は渋っていました。今治で生徒が集まるだろうか、という不安があったのです。もちろん、ほかの大学にもアプローチはしましたが、「そんな四国のへんぴな田舎では……」という反応ばかりでした。

少し誤解があるのですが、大学を迎える土地は、しまなみ海道の結節点にある今治インターの出口のすぐそばで、中四国の交通の要衝です。そんなに不便なところではありません。ところがなかなかそうしたイメージが払拭できませんでした。

私は加計学園が獣医学部を作ってくれれば、愛媛県の公務員獣医師の深刻な不足も解消できると期待し、粘り強く説得を続けました。二年間にわたる説得の末、ようやく十九年一月になって、加計学園側から生徒募集に見込みがある獣医学部ならやってみましょうという話が来ました。こうした経過を見ていない方は「加計ありきではないか」と思うでしょうが、今治の案件に加計学園以外には手を挙げてくれた大学などなかった――これが実態だったのです。

二十二年には宮崎県で口蹄疫《こうていえき》が問題になりました。愛媛県ではただちに港に獣医師を配置して九州からの乗客や車両、タイヤに至るまで四国に口蹄疫を上陸させせないよう不眠不休で徹底的な消毒作業に当たりました。

口蹄疫がイギリスを平成十三年（二〇〇一年）に見舞った時は一千万頭もの家畜が殺処分されました。もともとの家畜数が違いますが、驚くべき数字です。皆さんも当時の東国原宮崎県知事が涙を流しながら記者会見していた光景を覚えているでしょう。牛だけで何億頭も飼っているアメリカでも、イギリスの惨状を見て危機感を強め、感染症対策の充実と獣医師の増員を二十年前から図っているのです。家畜から人間にも伝染しうる家畜伝染病なども懸念されています。将来を見据えてこうした問題にも対処できる獣医師の養成は喫緊の課題で、日本の対策の遅れは明らかでした。

本当に口蹄疫の時に頑張ってくれた皆さんには今でも感謝しています。四国への上陸は許さないという強い決意で私も頑張りましたが、そうしたなかで愛媛に世界に伍していける獣医学部が必要だという思いは強まる一方でした。

二十年新設なし、特区申請も十五連敗

加計学園が獣医学部新設に乗り出す意向を示してくれたことを受けて、文部省のＯＢだった私は文科省を訪ね、後輩の高等教育局長にお願いしました。ですが、獣医学部の新設にはけんもほろろ——ある意味では行政の筋は通したんでしょうけれども——で聞き入れられませんでした。

すでにご存じの方も多いと思いますが、獣医学部の定員は長期にわたって抑制され続けています。獣医学部の新設は昭和四十一年以降ありません。入学定員も五十年以降、十六大学九三〇人態勢で変わっていません。獣医師数が総数では足りているとする農林水産省の見解を踏まえ、文部科学省が定員抑制方針を維持しているためです。

しかし、獣医学部が新設されない真の原因は獣医師会とその政治組織である獣医師政治連盟によって獣医師、既存の獣医師養成大学の既得権益が保護されていることが根底にあることは明らかです。既存の獣医学部の専任教員は四十五人から五十人前後です。これに対する学生の一学年あたりの定員は国立大学でほとんど三十人、私立大学は一二〇人が四校、八十人が一校となっています。

実際には学生は定員を上回る一四〇人から一五〇人ほど入学しています。水増し入学というわけです。一人あたりの授業料は年間二百万から三百万近くで六年間あります。一人入学者を増や

せば一五〇〇万円の増収となるわけです。十人増やせば一億五千万円で二十人で三億円という大学経営にとって獣医学部はドル箱学部なのです。ですから既存の大学は新設など認めてほしくありません。商売敵が一校でも増えれば、大学の経営に影響する問題だからです。

獣医師も同じです。獣医師は少ない方がいい。ペット医師が増え、価格競争が始まったら自分たちの利益が脅かされるでしょう。逆に獣医師の増員が許されない状態ならば安泰です。これが獣医師会が獣医師の増員に反対し、新設学部が五十年間もできなかった真の理由です。

獣医師の増員を認めるか否かは農水省の畜産局で判断されます。しかし、獣医師の既得権益の保護に熱心な議員が取り巻いているわけです。農水省も獣医師政治連盟の息のかかった国会議員と戦ってまで大学を作って、獣医師を増やしましょうとは言えないわけです。予算を獲得するとき、法律を通すときも国会議員の世話になります。ですから農水省は絶対に首を縦に振りませんし、文部省も増やすことができないわけです。

大手門がダメだとわかった私は搦《から》め手門でも入れてもらおうと模索を始めました。小泉内閣時代に始まった構造改革特区に申請したのです。しかし、構造改革特区への申請は実に十五連敗でした。相撲なら力士引退ですね。

これも理由はあるのです。構造改革特区は内閣府に申請するのですが、内閣府は「文科省さんどうですか」と諮《はか》る。すると、文科省は「農水省が……」と言い出す。農水省は「いや獣医師会が……」と結局、役人同士で話をつけようとする構造上の問題があるから、何回やっても話が付かないのです。

それとは別にもう一つ頭にきているのが民主党に対してです。自民党時代、特区申請に四連敗したのち民主党政権になり鳩山内閣が発足した。それで私は民主党議員に頼むようになったのですが、政権発足当初は「役人は口を出すな」という空気が強かった。民主党も張り切っていて、獣医学部の新設も風向きが変わって、今までオールノーだった回答が「平成二十二年度中の実現を目途に検討」と前進したのです。私は跳び上がって喜びました。やっと道が開けたという思いでした。

ところがその返事が来たわずか三週間後、民主党内に獣医師問題議員連盟という組織が結成されてしまいます。獣医師の城島光力氏が会長で、事務局長が玉木雄一郎氏。福山哲郎氏も幹部でしたが、それ以降、話は急速に萎《しぼ》んでしまうのです。

鳩山内閣の次年度の回答は「平成二十二年度中に実現を検討」で菅内閣は「二十三年度中に実現を検討」でした。野田内閣になると「二十四年度中に実現を検討」でした。そば屋の出前じゃあるまいし、要するに数字が増えるだけで、中身は木で鼻を括った回答ばかりでした。民主党には期待して喜んだだけに、がっかりでした。

獣医師政治連盟側から福山哲郎氏、玉木雄一郎氏に百万円の政治献金が渡っていることを自民党の動画番組「カフェスタ」で取り上げ、「本当に義理堅く働かれますよね」と私が申し上げたことに、福山氏らは「訴訟を起こす」などと言って騒ぎになりました。ですが、私にすれば、あなたたちこそ何があってダメになったのか、きちんとした説明を求めたいです。

このように獣医師政治連盟が政治力を使って立ちはだかるのです。愛媛県庁の知事室に獣医出身の日大の総長と獣医師会の方が東京から乗り込んでこられ、「申請は取り下げろ」「無理なことはしないほうがいい」などといろいろ文句をつけられたこともありました。加計学園の悪口も随分、おっしゃいますので「うちは加計学園にこだわっているわけじゃありません、あなたの大学でつくっていただけるなら、いつでも喜んでお受けしますよ」と申し上げましたら、「それなら喜んで」とその場ではリップサービスがあるのですが、案の定、以後はナシのつぶてでした。

ダブルスタンダードと逆忖度

転機となったのは国家戦略特区法の制定でした。二次募集の三次指定で加計学園の案件は国家戦略特区の指定を受けました。今、盛んにこの点での忖度の有無が言われましたが、とんでもない話です。事業を認めるかどうかは諮問会議が決める問題です。そこで国家戦略というお墨付きをもらっても、「ではここから登山口へ進んでどうぞ山を登ってください」という話です。山というのは大学設置審議会です。厳しい坂道ですが、そこから頑張って登らねばなりません。指定を受けるというのは、大学設置審議会にやっとかけてもらう受験資格、入山資格を得たに過ぎないのです。

そもそも加計学園の申請は要件を満たしています。ですから、認められなくては、それこそ行政としておかしいのです。総理の友達だから受け付けてはいけない、なんて理屈が罷《まか》り通ったらそれこそ訴訟沙汰です。騒いでいる人、邪推を重ねる方々はそうしたことがわかっているのでしょうか。

加計学園の大学設置審への申請時の定員は一六〇人でした。教員は海外で進んだ感染症研究などに関わっている優秀な日本人研究者たちを七十二人確保して申請し、最後は七十五人になりました。申請に問題はないはずですが、設置審が許さないからという理由で加計側は定員を一四〇人に減らしました。生徒に対する教員の比率が低いと教育の質が悪くなるというわけですが、審査する側は定員一二〇人に教員四十～五十人程度しかいない大学の方々です。明らかに加計学園の方が上回っているわけです。

おかしな話です。自分たちが跳んでいるハードルを審査基準とするべきなのに、新規参入する加計学園にはそれよりも高いハードルを用意して「さあ跳んでみろ」といっているようなものです。明らかなダブルスタンダードです。

設置審の構成も不可解でした。加計学園が申請するまでは、大学設置審議会には獣医と専門医が八人いて、六人が国公立大の獣医学の先生、二人が私学でした。だからこの二人が難敵だと思っていました。ところが蓋を開けると、獣医学専門委員会の審査体制は私学出身の先生が二人から四人に増やされていたのです。個別案件で委員を増やすなんて聞いたことがありません。これなど忖度どころか逆忖度にほかなりません。

誰が行政を歪めているのか

メディアの報道への不満のひとつは獣医学部の新設をめぐって獣医師会が行っているさまざまな政界工作、妨害工作などはあまりまじめに取り上げようとしない点です。

産経新聞が二十九年七月十七日から三回にわたって「加計学園〜行政は歪められたのか」を連載しました。獣医学部の新設が決定的になった局面で、安倍内閣の地方創生担当相だった石破茂氏に働きかけ、「石破四条件」と呼ばれる獣医学部新設を認める条件を閣議決定させ、加計学園の獣医学部新設を認めるためのハードルを上げる画策を行っているのです。

そうした経緯は獣医師会の議事録に克明に記されています。平成二十七年七月十日、「平成二十七年度全国獣医師会事務・事業推進会議」という会議で日本獣医師政治連盟がどのように加計学園の提案を阻止するかという活動内容が報告されています。

《……本件について最終的に先日閣議決定がなされました。骨太方針あるいは成長戦略という言葉をニュース等々で皆さまも目にされたと思います。その中に、本当に小さく獣医師養成大学・学部の新設に関する検討という項目が出てまいります。その部分を読ませていただきますと、「現在の提案主体による既存の獣医師養成ではない構想が具体化し、ライフサイエンスなどの獣医師が新たに対応すべき分野における需要が明確になり、かつ、既存の大学、学部では対応が困難な場合には近年の獣医師の需要の動向も考慮しつつ、全国的見地から本年度内に検討を行う」という文言が出てまいります。

三つの条件が付いています。つまり、新しい大学を作りたいところが既存の獣医師養成機関でないという構想が具体化すること、次に、獣医師が新たに対応すべき分野の需要の要請があるということが二つ目、かつ、十六獣医学系大学においてそれに対応できない場合ということが三つ目の条件となりますが、この獣医師養成の大学・学部の新設の可能性はこの三つの条件によりほとんどゼロです。十六獣医学系大学で対応できない獣医師はいない訳ですから、現存の獣医学系大学でこれらができるということは当然です。石破担当大臣と相談をした結果、最終的に「既存の大学・学部で対応が困難な場合」という文言を入れていただきました。ただし、今後もこの問題は尾を引いてくると思います。つまり、日本の最高権力者である内閣総理大臣が作れと言えばできてしまう仕組みになっておりますので、こういう文言を無視して作ることは可能です（以下略）》

「既存の大学・学部で対応できない場合」にのみ新設を認めるという高いハードルを「入れていただいた」と告白しており、予断は許さないが、この条件があれば、新設の可能性はゼロ、つまり潰せるだろうといっているのです。それが安倍内閣のもとで閣議決定されてしまっているわけです。

どこに働きかければ、有効かを機敏に判断しながら政治家に働きかけて、実際、それで政治家が動いて閣議決定が実現しているのですから獣医師政治連盟の政治力は恐るべきものです。こうした加計学園の申請をつぶすような条件が安倍内閣のもとで閣議決定されているのですから、安倍首相の意向で便宜が図られたことなどなかった、ということでもあります。安倍首相は岩盤規制を崩すことには意欲を示していましたが、個別の案件にまで口を挟んで、法を曲げたり、そのようにうながしたりはしていない。だからこそ、加計案件をつぶすようなこうした条件が閣議決定されてしまっているわけです。

最終的には「石破四条件」の画策をもってしても加計学園の申請は認められました。国家戦略特区のワーキンググループが成長戦略につながる研究や創薬、国際的な感染症対策のためには、既存の大学・学部で対応できず、新たな獣医学部を新設し、獣医師の増員をするのが妥当と結論づけたからでした。

いつまでやっているのか

「愛のムチ」の連続で大変な難産の末、加計学園の獣医学部は実現しました。東大の獣医学科の名誉教授で日本学術会議の副会長もなさった唐木英明先生が日本一の獣医学部ができたと喜んでくださいました。唐木先生は長年にわたって獣医学教育を憂いておられ、世界に伍していけるのは北海道大学くらいで東大ですら全然追いついていない、獣医学教育の充実を図らなければ世界に立ち後れると警鐘を鳴らされた方です。「ペットだけ相手にしていればいい」「余計なことはよしましょう」などという獣医師もいましたが、きちんと獣医師の使命を自覚し、世の中の負託に真摯に向き合おうという良識ある獣医師も大勢いらしたことも最後に述べておきたいと思います。

最後にメディアにいいたいのは、こうした獣医師政治連盟が加計学園をめぐってどのように暗躍したのか、までしっかり見据えて報じてほしいということです。一体、誰が行政を歪めようとしたのか、誰が公益に背を向けているのか。公正に判断するには彼らが何をしていたのか、を明らかにしなければできません。私は今回の加計学園の学部新設は歪められてきた行政が正されたことだと考えていますが、こうした私の発言はこれまで真面目に取り上げられているとは到底思えません。

安倍政権を追い詰めるという自分たちの思惑に目が眩《くら》んで、都合の悪い事実には目を向けず無理筋でも自分たちに都合の良い事実をつなぎ合わせてみたり、疑惑を手当たり次第に並べ立てているようにしか見えません。いつまでそんなことをやっているのか、という思いがしています。

第3節　皇室敬慕の心

1　天皇陛下奉迎活動に見た愛媛のまごころ

平成三十年五月　天皇皇后両陛下愛媛県奉迎委員会『愛媛のまごころ』

両陛下奉迎に関する愛媛県民の思いを込めた記念誌の刊行を何よりと存じます。

昨年は、愛媛県民にとって忘れられない思い出の年になりました。六十四年ぶりの愛媛県での国民体育大会の開催に合わせて、天皇皇后両陛下が二十四年ぶりに御来県されるということで、県民の皇室に対する強い敬愛の念をどのようにお示しするかについて、他県の先例も参考にしながら、日本会議愛媛県本部の竹田祥一会長を中心に提灯パレードを初めとする奉迎の誠を示すこととされました。

私にも御来県日の九月二十九日の提灯パレードへの参加と両陛下の御宿泊所前での万歳三唱の発声役を割り当てていただき、ありがたいことでした。提灯パレードには、二千人の参加を想定しておりましたところ、出発集合場所の松山南高グラウンドに四千人を超える県民が参集されて、準備していた提灯がとても足りず、奉迎委員会が嬉しい悲鳴を上げたことでした。銀天街・大街道を経由しての行進は、第一班の越智美香子日本会議愛媛県本部事務局長夫人以下班ごとの担当者による「天皇陛下万歳」、「皇后陛下万歳」、「天皇皇后両陛下万歳」の音頭に合わせた小旗の国旗と提灯の掲揚、それに県民の皆様の暖かいご声援とにより、高揚した気分のあっという間の一時間の歩みでした。

お泊所の全日空ホテルの前は数千人の奉迎者で溢れていましたが、宿泊室の窓から提灯を振って応答される両陛下に向かっての万歳三唱の音頭取りを私にも割り当てていただいたお陰で良い冥土の土産が出来ました。

翌九月三十日の愛媛国体の開会式への両陛下の御臨席は、来場者全員が心を込めての歓送迎の拍手をお送りしましたが、二年後の御退位を控えているという状況下でありましただけに、温容あふれる両陛下の御尊顔に接して万感胸に迫るものがありました。

離県される十月一日には全国に例のない県産杉材による木造の県武道館での剣道の試合を御観戦なさいましたが、中村知事の格別の配慮で私が御先導役を務めさせていただきました。私が「杉の香りは柔剣道場に似合います」と余分な事を申し上げたところ、「杉もそうですが、檜も良く香りますね」との天皇陛下のお言葉に、「全面改築の時は檜にしなきゃいけないね」と武道館長に冗談を言ったことでした。御観戦いただいて勝利選手に暖かい拍手を頂戴した女子成年剣道種目を含め剣道全種目で愛媛県が優勝したことを誇らしく申し添えておきます。

三日間にわたる両陛下御来県での奉迎ぶりには、愛媛県民の思いが詰まっており、その一端をこの記念誌が伝えることができることを嬉しく存じます。

記念誌作成に当たられた関係者並びに御協力いただいた方々に心から感謝申し上げます。

2　素晴らしい令和の御代に

令和二年三月　天皇陛下御即位奉祝愛媛県委員会『輝く令和のあけぼの』

このたびの天皇陛下の御即位を心から慶祝申し上げますとともに、素晴らしい令和の御代の到来を国民として愛媛県民として大変嬉しく存じます。

思えば六十年前の昭和三十五年二月二十三日に皇孫殿下として生誕されてから浩宮様として国民から愛され親しまれてこられたお方が、第百二十六代天皇として御即位されたわけですから、「令和」の名とともに、こんなに喜ばしいことはありません。

陛下との初対面は、平成五年九月、私が日本芸術文化振興会（国立劇場）理事長として、大劇場の舞台で開催される式典に御出席なさるために御来場された新婚半年ほどの当時の皇太子同妃両殿下を劇場玄関で奉迎申し上げた時に遡ります。

山登りがお好きと聞き及んでいた当時の皇太子殿下は意外に色白でいらっしゃるのに、同行された雅子妃殿下は健康そうな小麦色のお肌というコントラストにびっくりした記憶があります。玄関から貴賓室までやお帰りの玄関先までの間の来館奉迎者へ手をお振りになってのにこやかな御対応を通じて、両殿下の明るい飾らない庶民的な雰囲気にすっかりファンになりました。

それから六年後、平成十一年五月の瀬戸内しまなみ海道開通式典に行啓された両殿下とは愛媛県知事として接遇申し上げる栄に浴しました。初日の上浦町での昼食会場では、浩宮様が学習院大学の卒論に「中世の瀬戸内の海運」を選ばれてその材料を得るために弓削島に滞在しておられ、愛媛県とは縁が深いとのお話があり、一同感じ入りました。後日、当時滞在された国民宿舎ゆげロッジは全面改修してインランド・シー・リゾート・フェスパとなっております。

二日目の松山市内での両殿下のお車への県民の日の丸を振っての歓迎振りは熱狂的で、特に「雅子様」「雅子様」の声が多く、「皇太子様」の声が霞んでしまうほどでした。二日目の昼食会場では、当時の亀岡県議会議長が笑いの主役で、「お若く見えますが普段何を召し上がっていらっしゃるのですか」との御下問に「はい、人を喰っております」と応答し、満場爆笑の渦でした。

その後、赤坂御苑での春秋の園遊会等でお会いする度に、皇太子殿下からは「あの時の議長さんはお元気ですか」とたびたび御下問がありましたので、九年後の育樹祭で行啓されてこられた際の立食懇親会には引退されていた亀岡元議長にも参加願い、久闊《きゅうかつ》を叙《じょ》されたことでした。

平成十三年五月に、雅子妃殿下の御懐妊が発表された直後、愛媛県の女性グループが立ち上がり妻道子を代表呼びかけ人として「御懐妊をお祝いする愛媛女性の会」を結成し、六万五千羽の千羽鶴を折って、千羽はご実家の小和田家に贈り、残りは県内の各神社に奉納されたことは懐かしい思い出です。無事誕生された皇孫の宮が「愛子」と命名された理由の一つではと関係者は憶測しております。

平成二十年に愛媛県で開催された育樹祭には皇太子殿下として行啓され、昭和四十一年に昭和天皇が植樹され大きく成長した久谷ふれあい林の木のお手入れを賜ったのですが、お手入れの補

第32回全国育樹祭にて（平成20年10月）

助者として参加した少年達との明るくさわやかなお会話が忘れられません。その翌日、式典を挙行した会場である全国に例のない県産杉材による木造の県武道館をお誉めいただいたことは私にとって誇らしいことでしたが、それよりなにより三日目に御視察いただいた西予市所在の歴史文化博物館でのエピソードに触れない訳には参りません。それは、博物館の学芸員A・B二人が担当の分野別に伊予の歴史文化について御説明申し上げた後、館内での昼食会で城川町出身の看護師さんにお世話になったなどの昔話をお聞きして、お帰りに県庁職員や博物館職員数十人が玄関まで整列してお見送り申し上げていたところ、殿下がA学芸員と離れた場所にいたB学芸員とそれぞれの前で二度足を止められ、説明への謝意と感想を述べられたことでした。二人の説明者の顔の御記憶と即座にでる御感想とに、帝王学を学ばれた方のみが備えられた資質に驚嘆申し上げた次第です。

平成二十九年の愛媛国体に引き続いて開催された「愛顔つなぐえひめ大会」のために行啓された皇太子殿下はテレビの画面で拝見しただけですが、さわやかな御足跡を残されて行かれたことと存じます。

私の県知事時代に、園遊会を始めとした諸会合でいつもお声をかけていただき愛媛県のことに気を使って下さる思いやりは、即位されても天皇陛下として国民の安寧と幸福を祈られることに通ずるものと確信しております。

第４節　愛媛の県政改革に取り組んで

１　愛と心のネットワーク

平成十五年七月三十一日　四国フォーラム愛媛会議閉会挨拶（一部抜粋）

少子高齢化問題を解決する「愛と心のネットワーク」

ここで、少し時間を取って恐縮でございますが、少子高齢化に関して、愛媛県のコンセプトを紹介いたします。加戸県政二期目の重要な柱の一つが、「愛と心のネットワーク」の構築であります。この背景には、今の高齢社会の進展と財政事情の関係がございます。国におきましては、来年度予算のシーリングにおいても、社会保障関係費の上昇を抑えるために二千億円切り込むと言われておりますが、いずれにしても、国の義務的支出である年金、老人医療、生活保護、介護保険等々の社会保障関係費が、毎年一兆円近く増加しております。ということは、当然のことながら都道府県、市町村もほぼそれに見合う支出が一兆円単位で増えていくわけでございますが、支出が増えても収入の増加が伴っておりません。国家財政も地方財政も、このままでは破局を迎えるであろうと、そんな感じでございます。

もう一つは、子育ての問題との関係であります。子どもを産まなくなったのは、子どもを産んだら自分の人生がほとんど失われてしまうとの恐怖心からで、自分の人生をエンジョイするためには、結婚しない、子どもをつくらない、そういう人たちが増えているのであろうと思っております。

これらの問題を解決する方策としては、ボランティアしかあり得ないというのが私の基本的な考え方であります。例えば、老人介護であれ、子育て支援であれ、一〇〇の経費を要するとするならば、仮定の話ではありますが、言うなれば経費を五十に抑えることは不可能ではない。例えば、半分は正規の職員が行政ベースで、あるいは民間の力でやるけれども、あと半分はボランティアで、ボランティアといっても四分の一は有償ボランティア、四分の一は無償ボランティアとし、有償ボランティアは正規の職員に要する経費の半分ぐらいとすれば、数字で表すと六二・五％の経費で済む。そんな社会がつくれないかなというのが私の考え方であります。

実は、ボランティアといいますのは、もともとラテン語の「ウォルンタリウス」からきたもので、語源の「ウォロ」という言葉は、英語でいう「ウィル」、つまり意志、自由意志ということでありまして、自ら望んでやる、しかし、その仕事は、ボランティアだからといって無償というわけではなく、有償の場合も含んでおります。このボランティアという言葉が使われ始めたのは英国で、徴兵制度ではなかなか良い軍隊ができないため、志願兵を募りました。そのときに使われたのが、アーミー・オブ・ボランティアという言葉で、徴兵されて参加する兵士よりも、ボランティアの兵士のほうが二倍以上の能力を持つというコンセプトでもありました。したがって、志願兵についても、正規兵と同じ給料が払われていました。

そのようなことを考えますと、この日本の社会に、高齢者の介護、あるいは子育て支援の手助けのために、自分の力を無償または有償で提供するためのネットワークを作り上げることができるならば、今の財政破綻を防ぐ方法にもなるし、また参加するそれぞれの人々が、今の日本社会の形成のために貢献できているという喜びを持つこともできるのではないか。これが、私が提唱しております「愛と心のネットワーク」です。ただ、旗を振ったから直ちに進むというわけではありませんが、そういう仕組みづくりをして、どの程度の人がそれぞれ社会活動に参加していただけるのか、それが要になるだろうと思っております。

愛媛には、帝人株式会社の松山工場があります。帝人株式会社が、現下の状況に鑑みてリストラをせざるを得なくなったときに、どういう方策をとったかと言いますと、確かに人件費を削減したいが社員をクビにはしたくない。そこで、定年前の何年間かは、休職して地域社会でボランティア活動をやってくださいと。給料は、通常の状態より十五％減るけれども、給料の八十五％は保証するから、ボランティア活動に参加してくださいという方法を今の安居会長がとられた。企業も、こういった形でボランティア活動に協力ができるのは、すばらしいことだと思いました。

高齢化時代に心の豊かさを求めて

高齢化率が全国一高い四国においては、将来にわたって求める豊かさは物質の豊かさではなく、心の豊かさであろうと思います。その心の豊かさは、社会における活動の中に、自分もいささかの貢献をしているという思いを全住民が持てることであり、これが出来ればすばらしい社会となるのではないか。そういうことが、結果として、さきほど申し上げた税負担を軽減することにもつながると思っております。

私は、介護を社会全体で支えるという介護保険制度がスタートしたときは、すばらしい制度だと思いました。また、制度発足まで愛媛県の県内総生産、並びに県民所得が三年間減少していたのが、介護保険制度がスタートした平成十二年には、県民所得と県民総生産のいずれもが上昇に転じました。その経済成長の大きな要因は介護福祉関係の産業に従事している者の人件費等々であったわけです。それは単発的な話ではありますが、それぐらい経済的にも大きな意味を持つものでもありました。

しかしながら、介護保険制度は、保険という名前は使われていますが、実際は、介護サービスにかかる費用のうち、介護サービスの対象となる六十五歳以上の方が、保険料で十八％を負担し、介護を受ける必要がない四十〜六十四歳までの医療保険加入者は、保険料で三十二％を負担しているわけですが、残りは国が二十五％、県と市町村がそれぞれ十二・五％ずつを負担する仕組みになっており、全体の五十％は税金で賄われております。

一方、介護サービスを提供するために愛媛県でも、立派な老人施設が整備されていますが、この老人施設を整備するに当たっては、国が二分の一、県が四分の一の経費を助成する制度がありまして、建物の建設には、多くの税金が投入されます。また、介護を必要とする人がこの老人施設に入所された場合、愛媛県で要する費用は一人当たり年額で四百数十万円となっております。

老人施設でのお世話が不可欠な人たちのためには施設は必要ではありますが、このような形で建設から運営に至るまですべてにわたり税金に依存する状態を今後も続けていくのは難しい。また、施設でのサービスではなく、在宅介護や託老所で過ごす人生を選ぶ方も多いと思います。しかし、その場合にも、すべてを税金で賄おうとすればお金がかかる。このような介護における税金での負担を軽減するためには、私の言うボランティアの協力による「愛と心のネットワーク」を作り上げていくしかないのではないか。

そのトップランナーとして愛媛県はスタートしたい、そんな思いでおります。皆様方の二日間のご議論の内容とは合致しないところがあるかもしれませんが、そんな気持ちでいるということを披露させていただきたいと思いました。

いずれにしましても、本フォーラムのすばらしい二日間の成果を受けまして、四国における高齢化時代の本当の豊かさを、心の豊かさをともに求め合い、本日ご参加されました皆様方がリーダーシップを発揮されることによって、すばらしい四国が出来上がっていくことを期待しております。

2　共に創ろう　誇れる愛媛

平成十二年一月四日　愛媛県仕事始め式挨拶（一部抜粋）

県政二年目の課題

昨年、皆様方の大変な御協力をいただきまして、県政改革の緒につきまして、今年が、私にとっての県政改革の二年目でもございます。

一方におきまして、今年は私も力を入れたいと思っておりますのが、高度情報化でございまして、少なくとも、愛媛県が日本全国の中でも低レベルの状況の中にあって、一番急がなきゃならないことは高度情報化ではないか、そういうような気持ちがいたしておりますので、私自身はこの紀元二〇〇〇年、平成十二年を愛媛県の「高度情報化元年」と位置付けたいと思っております。

既に、アメリカのクリントン大統領が就任いたしまして、一九九三年ですか、全米情報ハイウェイ構想というのを打ち出しまして、このことが当時、双子の赤字と言われたアメリカのこの赤字財政を脱却して、経済繁栄を導き出した大きな原動力になったものではないかと、私は思っております。

少なくとも、この高度情報化、あるいは情報スーパーハイウェイのお陰で、ビル・ゲイツは、マイクロソフトで、昨年のマイクロソフト社の株価総額が六千億ドルを超えたということでございますから、一社で六十兆円を超える資産を、株の、総株の評価で勝ち得ているわけでございますが、この数字は、実は日本で比較いたしますと、ＮＴＴとその子会社のＮＴＴドコモの両方の株価総額を合わせたものにほぼ匹敵いたしております。

一代でこれだけの財が築けるということは、とりもなおさず、やはり、そのアメリカにおきます高度情報化のお陰ではなかったのか、またそれが、アメリカ経済の繁栄を保っている大きな原動力にもなっていると思いますし、愛媛県におきましても、その波に立ち後れないように、少なくとも全国レベルまでのレベルアップを図りたいと思っております。

昨年の十二月に、それぞれ関係の、特に企画課の方の御尽力によりまして、加戸県政を進める場合の十年間の新長期計画中間案を発表させていただきました。これをベースに、県民の声をあまねく聴取いたしました上で、本年中に、最終的な新長期計画を決定いたしたいと思っておりますけれども、そこのキーワードが「共に創ろう　誇れる愛媛」ということでございまして、昨年末のテレビ番組の中で、紀元二〇〇〇年のキーワードは何ですかという質問がありましたので、とっさに「共創愛媛」という言葉を使わせていただきました。これは、「共に創ろう　誇れる愛媛」をダイジェストしたアブリビエーションとしての、私にとってのキーワードでございました。

「五つのＫ」で愛媛の発展を

この新長期計画の中に、五つの目標を掲げております。

一番目が躍動する愛媛ということで、教育、スポーツ、文化に関します、これらの点を主体とした「躍動えひめ」。この頭文字はＹですけれども、教育、文化、スポーツという意味での、教育の最初のＫを取って考えてみたいと思います。

二つ目が「共生えひめ」。これはボランティア活動のネットワーク化であるとか、保健、福祉、医療の分野におきます共に生きる「共生えひめ」、これもＫです。

それから、三番目に「快適えひめ」。環境問題であるとか、あるいは防災問題等々、快適な愛媛。この頭文字もＫでございます。

それから四番目が「活力えひめ」という言葉を使っておりますが、これも産業振興、あるいは雇用対策等々の問題もございますけれども、Ｋでございますし、また、ブレイクダウンして申し上げれば、この中に企業の創出、あるいは高付加価値農業とか、言うなれば全部Ｋという頭文字で始まる言葉が多うございます。

そして五番目が、「交流えひめ」という言葉を使っておりますけれども、これは交通であるとか、あるいは高速交通網の整備であるとか、あるいは市町村の広域連携、あるいは国際交流、全部Ｋで始まる事柄ばかりでございますので、多くの意味におきまして、私は、この紀元二〇〇〇年は、加戸県政のＫと県政改革のＫと、それから今の新長期計画のすべての頭文字のＫで、「Ｋづくし施策」で進めたいと思っておりますので、よろしくご協力いただきたいと思います。

また、予算要求される時にも、これの頭文字にはＫが付いているということですと、財政課の方でも、ちょっとＫ恐怖症にかかって査定が緩むんではないかと思いますし、こういうキーワードなり言葉は、大いに活用していただきたいと思います。ただし、悪用乱用は、慎んでいただきたいと思いますけれども。

そういう意味で「Kづくしの施策」、あるいは日本語で言えば「力行づくしの施策」と言ってもいいと思いますし、力行ということは加戸県政の力でございますから。ただし、この中に、だいたい環境問題とか、あるいは教育問題、あるいは交通、国際とか、あるいは健康問題等々の「力行」がありますが、実は一つだけないのがクの字でございまして、クはだいたい苦しむという印象ですから、「力行づくし」やあるいは「Kづくし」と言っても、クだけはのけまして仕事を進めていただきたい。しかし、これは、県民にとっての苦がないという意味でありまして、県庁職員は少々苦しんでもらった方が、県民のためには幸せになるのかなという気がしないわけでもございません。

「百尺竿頭一歩を進む」

昨年末にも申し上げましたが、県政改革は事柄としましまして、行政の効率化であり、簡素化でございます。そういう意味で、県政改革を進めるということは、いろんな省力化をしなきゃいけない。しかし、その浮いたエネルギーで新しい需要に対応してもらいたいということでございますし、皆様御承知のとおり、「先憂後楽」という言葉がございます。県民が楽しんで後に、県職員が楽しむ。まず先に憂いて後で楽しむと。こんな気持ちを持っていただければ幸いかなと思いますし、また、昨年の大みそかも県庁徹夜待機なんかも、そういう意味の先憂後楽の一つの例証ではなかったかと思うわけでございます。

だいたい新年になりまして、こんな職員を苦しめるような発言があることはあまり好ましいことじゃないんですけれども、県民の幸せのために私たちは存在するんだ、そんな意識を持っていただければ幸いだという意味で申し上げました。

大変、いろんな負荷をかけると思いますけれども、中国の言葉に「百尺竿頭《ひゃくしゃくかんとう》一歩を進む」という言葉があります。これは、古くからありました「百尺竿頭須《すべから》く歩を進むべし」という言葉から来たものでございますけれども、百尺という長い竿があって、その先端まで行って満足してはいけないと、そこからさらに一歩でもじりっと進むべきだということを意味する言葉でございます。

皆さん方は、今まで県庁の中でいろんなお仕事をしてこられました。それぞれ満足されている方もあるかも知れません。自分としては目標を達成したと思われるかもしれません。ただ、もう一度謙虚に振り返っていただいて、自分が本当に百尺竿頭まで到達したと思っても、県民がそう思っているかどうかという意味で考えていただければ、さらに前進する、歩を進める必要がある分野がかなりあるんではないか、そんな気持ちで申し上げているわけでもございます。

すべてを成し遂げたと思っていても、本当は、県民は満足していないわけでございまして、これは、かつて私も文部省の局長時代に、外国から見えたお客さんと教育問題で話したことがあります。その時に、それぞれの国で、いろんな教育に関する条件整備をしていく。でも、達成すると、更に要求は上に来る。またそれを達成すると更に要求が出てくる。言うなれば、住民側、国民の要求というのは、英語で表現しますと、「スカイ・イズ・ザ・サミット」という言葉を使いました。このずっと天空高い所が目標であって、それが限界である。言葉を替えて言うと、県民や国民の要求、ニーズには限度がないということでもあります。

したがって、過去と比較した場合に、今までここまで来たならば、もっとこれだけのものをしてほしいと願うのが、当然のことながら、これが大衆の気持ちであり、願望でもございます。すべてにこたえることができないとしても、今申し上げましたように、まず百尺竿頭まで到達する、到達した場合にさらに歩を進める。そのことが県民の期待にこたえることになるんではないか、そんな感じがいたします。

愛媛県をよくするための果てしない夢

年頭でございます。大いに私たちも、新長期計画だけではなくて、それぞれの職員自身の間に夢を持っていただきたいと思います。この夢は、仕事の上の夢でもあり、あるいは家庭における家庭平和のための夢でもあろうかと思います。

「ユートピア」という言葉が使われます。これは、一五一六年にイギリスの作家トマス・モアが書いた小説の言葉で、「理想郷」という日本語で翻訳されておりますけれども、もともとこのユートピアというのは、ギリシャ語で言う「ウー・トポス」の英語訳がユートピアでございまして、この「ウー・トポス」というギリシャ語の「ウー」というのは、どこにもない、「ノー」ということ、存在しないことを意味します。それから、「トポス」は場所、英語で言えば「プレイス」

ですけれども、したがってユートピアっていうのは、「ウー・トポス」、すなわちこの世の中には存在しない場所のことをユートピアと言っております。

ですから、実現しないだろう、しかし、その実現、ユートピアを目指すということは、少なくとも現状をいささかでも改善し、そして、ユートピアに半歩でも一歩でも近づいていくことであって、到達しえない場所であっても、そういうユートピアに到達しようとする思いが世の中をよくする、あるいは人間の生活を快適化する、あるいはお互いの心と心の通い合いの中に、今までよりはいい関係ができていくと、そういう意味でユートピアを、常に自分が持ち続けることが必要ではないかと私は思います。

愛媛県民ミュージカルで船長役を務める

昨年の暮れに、県民ミュージカル「DREAM SHIP（ドリームシップ）果てしない夢」というのに、五回公演のうち四回出演させていただきまして、一回は小渕総理大臣のお相手をしているために、宮内出納長にピンチヒッターで演じてもらいました。私より背が高いんで、船長向きではありましたけれども。

この四回の出演の中で、私に割り当てられましたセリフですが、ちょうど船長となって、二十一世紀に向けて船出するドリームシップの上で、こういうセリフを使いました。

「夢を追う魂を乗せて、二十一世紀に向け、愛媛丸出航！」と非常に格好のいいセリフでございまして、非常に気に入っております。私もこういった公演に出演したのは生まれて初めてでございまして、愛媛県知事になって一番うれしかったことかもしれません。

今申し上げましたように、県民の皆さんにそういう気持ちを持ってもらえればということでもございますし、県庁の職員も愛媛県をよくするための果てしない夢を抱き続け、この二十一世紀、二〇〇〇年代に向けて、愛媛丸で一緒に出航していただきたいと思います。今日が二〇〇〇年代の愛媛丸出航の日でございます。乗組員の皆様方の働きいかんで愛媛の未来が決まります。船長は、ただあっち行け、こっち行けと言うだけでございますから、具体的にハッピーな、そして平和に満ちた、希望の多い、明るい愛媛の未来をつくるのは乗組員の皆様でございます。

それから、最後にもう一つお願い申し上げたいと思います。ちょうど高度情報化の話を申し上げました。私自身もコンピュータは苦手でございます。せいぜいワープロで文章を打つぐらいの能力しかありませんけれども、これから高度情報化の中で、例えば県庁の中の、イントラネットというんですか、庁内ランというのか、そういうシステムがスタートするようになります。どうかこの中で、特に若い方は、皆さんパソコン等のハンドルは十分お慣れになっていると思いますけれども、最前列にいる長老の方々には、ちょっとこれ要求しても難しゅうございますが、自分自身で考えて、あと耐用年数が数年以上あると思う職員は、どうかパソコンに習熟するよう御努力をお願い申し上げたいと思います。

どうか皆さんとともに、いい年を迎え、そして未来に向かってスタートする門出の仕事始め、どうかよろしくお願い申し上げたいと思います。

皆さんとともに、明るい愛媛を、さわやかな愛媛を、活力ある愛媛をつくって参りたいと思います。よろしくお願い申し上げます。

今日は本当にありがとうございました。

発刊に寄せて

櫻井　よしこ（ジャーナリスト）

加戸守行さんは爽やかな風のような人だった。また家庭人としては満点の、本当に幸福な方だったと思う。ご遺稿集『日本の魂』を拝読して、その感を尚強くした。

加戸さんが御自分の足跡を振りかえって書かれたことの中に、学校給食にご飯をとりいれた文科省時代の思い出がある。弥生時代から稲作を始め、コメを主食の主軸にしてきた民族にとって、子供にパン食ではなくご飯を食べさせるのは当然のことだ。それなのに、戦後の給食現場では日本の食の伝統が忘れられていた。日本の歴史や文化を置き去りにする日本否定の精神が給食にまで浸透していたのではないか。それを軌道修正して下さったことを私はとても嬉しく思う。子供だけでなく、人間の体も心の健康も、食から始まるのである。

教科書検定問題に関して加戸さんがいかにメディアと戦ったかは余りにも有名だが、一言、加戸さんの御魂にご報告したいと思う。日本テレビの誤報、宮澤喜一首相の愚かな決定、結果としての近隣諸国条項に加戸さんは大いに落胆したが、近隣諸国条項も河野洋平官房長官のこれまた事実を無視した「慰安婦強制連行」の主張も、いま、安倍晋三、菅義偉両首相の下で、完璧に打ち消された。日本政府の公文書にも、さらに教科書にも、「従軍慰安婦」などの言葉はもう登場しない。従軍慰安婦は存在しなかったのであるから、そのような記述は許さないという極めてまともな閣議決定が令和三年四月になされたからだ。また強制連行説も否定された。

中国や韓国が近隣諸国条項を盾に抗議してきても、日本はもう「従軍慰安婦」とか「強制連行」したなどと、教科書に書くことはないのだ。随分長い時間がかかったが、加戸さんが涙をのんだ事案は是正された。そのことを、是非天国の加戸さんにご報告したい。

JASRAC問題で加戸さんは共産党系の小林亜星氏らに散々苛められたが、その件についてJASRACの副議長をつとめていた三枝成彰氏がこう述べた。

「JASRACの会議はいつも荒れて、しかも八時間も十時間も続いた。激しい議論の中で、加戸さんは小林亜星さんたちから酷くやられていた。でも、加戸さんについて残っているのは、穏やかで、優しい人だったという印象ばかりです」

共産党系の人々に散々苛められながらも、加戸さんは音楽関係の誰からも賞賛され、しかも中国や韓国がそっくり真似をしたほどすばらしいルールを作成した。

困難の中にあっても加戸さんは決して挫けない。負けない。やり遂げる。柔よく剛を制す。穏やかではあるが滅法喧嘩に強いのだ。私が加戸さんにお会いしたのは加戸さんが獣医師会と文科省の事務次官だった前川喜平氏らを相手に論陣を張っている最中のことだった。加計学園問題で国会の証人喚問に二度も三度も応じた加戸さんの発言を新聞、地上波テレビ、BS放送のどこも、事実上伝えなかった。私はネット配信の「言論テレビ」に加戸さんをお招きした。

前川氏の証言と較べればどちらが真実を語っているかはっきりする。言論テレビでじっくりと一時間伺うことで安倍総理がなんの関係も責任もないことがよくわかった。それと共に、如何に獣医師会が日本の足を引っ張る悪しき存在であるかも、よくわかった。

番組は大変な反響を呼び、加戸さんにはその後も二度、三度、四度と出演していただいた。加計学園問題の本質である岩盤規制、報道しない自由を行使して嘘を主張し、広め、世論を間違った方向に誘導するメディア。これらの問題を掘り下げてお伝えした。言論テレビを主宰していて本当によかった、ネット番組を持った価値があったと、心底嬉しい思いを抱いたことだった。

言論テレビとは別に、実は私は毎年加戸さんにお会いしていた。愛媛銀行主催の新春講演会に長年お招きを頂いているからだ。講演会には必ず加戸さんはご出席下さっていた。傍らに寄り添う夫人の道子様とともに、スカーフを巻いて、ダンディな着こなしだった。故郷を思い、日本を愛し、祖国を誇りに思う加戸さんは穏やかで優しい方でいらした。同時にもの申すべきときにははっきりと仰る勁《つよ》い方だった。その姿勢に私は深く感動する。

加戸さんが亡くなられた後、道子様からお便りを頂いた。そこには、お二人があの世でも一緒に過ごす場所としての、お墓の話が書かれていた。絵に描いたように仲睦まじく、互いに尊敬し合うお二人なのだ。なんとお幸せな人生かと心の底から感動し、あたたかい感情で胸が一杯になった。深い愛と熱い心をもったさわやかなサムライとしての加戸さん、そしてその加戸さんをどんな時にも信じ、支え、共に歩まれた道子様にお会いできたことは、私の人生における大きな喜びのひとつであり続けるだろう。